Les douze portes dans la maison du sergent Gordon

George Makana Clark

Les douze portes dans la maison du sergent Gordon

Roman traduit de l'anglais (Zimbabwe)
par Cécile Chartres et Élisabeth Samama

Éditions Anne Carrière

Titre original : THE RAW MAN
Première publication par Jonathan Cape en 2011

ISBN : 978-2-8433-7766-2

www.anne-carriere.fr

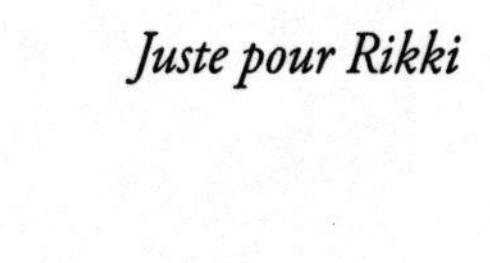

Juste pour Rikki

Prologue

Le détenteur de l'histoire

Avril 2011

J'ai construit ma maison sur des souvenirs empruntés, conformément à chaque détail que m'avait décrit Gordon il y a si longtemps, dans les ténèbres, à cinq kilomètres sous terre. Le toit paraît ondulé comme de la tôle mais il est en bois sculpté à la main, ainsi que les rebords, bardeaux, montants et mansardes. Les portes et volets tiennent avec des chevilles en bois, les planches sont taillées au cordeau. Je ne me rappelle pas avoir jamais appris à travailler le bois.

Si on franchit les douze portes à l'intérieur, on revient au point de départ. Je vis seul, avec le fantôme-conteur de Gordon. Ce n'est presque rien : un courant d'air qui soulève les feuilles ou agite les carillons accrochés à la véranda un jour sans vent. Quand il me traverse, je perçois l'odeur du café caracoli. J'écoute une berceuse. J'imagine un jardin.

Le fantôme-conteur, lui, vit dans la bibliothèque, entouré d'étagères vides, et attend que la fille de Gordon revienne dans la vallée. Elle doit avoir une bonne trentaine d'années aujourd'hui, peut-être sait-elle lire dans le sang comme son père.

Trois décennies ont passé depuis que la mort a cueilli l'esprit de Gordon. Il repose dans l'ombre du buisson de ronces où son cordon ombilical a été enterré. Tandis que je plaçais son corps en position accroupie, il me parla, la terre frissonna et se détendit pour recevoir le détenteur de l'histoire. Je déposai des branches d'épines afin d'éloigner les hyènes, je me rasai le crâne, je frappai la tombe, bien qu'il n'y eût rien à hériter, excepté ses souvenirs qui bourdonnaient dans mon cerveau comme des abeilles.

Les histoires veulent revenir sur elles-mêmes. On peut s'en prendre au Tisseur de l'univers, au Conteur de toute l'existence. Voilà comment Gordon est mort, il y a tant d'années. *Que cela vienne. Que cela sorte.*

Tout commence par un retour à la maison. Dans un paysage ravagé par la sécheresse, ses jambes le portèrent pendant des centaines de kilomètres, bien que son sang fût empoisonné. Il n'y avait rien à manger. On se nourrissait de tamarins mélangés à de la cendre pour ne pas risquer de les vomir et nos langues affamées devinrent noires. J'attrapais des papillons que je me fourrais dans la bouche.

Quand enfin nous arrivâmes en surplomb de la vallée, Gordon s'adossa au tronc du vieil acajou où sa fille avait été conçue. Pour la dernière fois, il observa la lune parcourant la vallée.

À l'aube, il descendit de la montagne mais la vallée ne le reconnaissait plus. La végétation avait avalé la route des Trois-Hommes. Les arbres de l'ancien verger qui entourait la mission, désormais abandonnée, avaient été débités pour fabriquer des cercueils. La rivière des baptêmes s'était tarie et toutes les femmes qui étaient venues y puiser l'eau avaient disparu, emportant leurs contes cosmogoniques dans l'autre monde.

Les fondations du bungalow étaient recouvertes de sable, le jardin envahi par l'herbe à sorcière. Sous les yeux d'un groupe de babouins, Gordon gratta la terre blanchie, essayant d'exhumer un morceau de carillon, les anneaux d'un classeur de comptabilité, un pendentif en forme de cœur déformé par la chaleur, ou n'importe quelle autre preuve de son existence. Il s'éraflait les doigts contre le sol dur, ne parvenant qu'à effacer ses empreintes. Il tenta de se lever, en vain.

Dans un élan de compassion, j'ai entaillé Gordon à la gorge et le sang a jailli – rose artériel, au départ, puis bleu veineux –, incandescent sous l'éclat du soleil.

Voici ce que Gordon a vu en mourant, du moins si l'on peut croire le fantôme-conteur : *L'eau commence à s'écouler entre les débris de ciment et les tubes en cuivre qui constituaient la fontaine du jardin. Le ciel s'éclaircit par-delà la montagne, adoucissant l'horizon, et le monde des vivants s'évanouit comme la brume. Le bungalow et le jardin se dressent devant Gordon, préservés du feu et de l'oubli. Les canaris reviennent, illuminant les flamboyants d'où ils chantent pour souhaiter bonne nuit.*

Gordon entre dans la cuisine. Mahulda est en train de boire un café caracoli.

— Une chanson, une chanson ! quémande-t-il, cajoleur, sa chevelure rousse vibrant dans la lumière qui filtre par les ouvertures.

— Oui, une chanson, acquiesce Mahulda, parce qu'elle aime cet enfant plus que ses propres yeux et que, même dans la mort, elle ne peut rien lui refuser.

Dehors, Timothy taille les bougainvillées, tandis que Mahulda entame la même berceuse qu'elle chantait à Gordon le soir de sa naissance : Oh, que ferais-tu si les vaches mangeaient les trèfles ? *Timothy se tient bien droit dans le jardin, le dos solide, et les observe à travers la fenêtre.* Que ferais-tu à part en replanter ? *Les ciseaux taillent la bougainvillée,* clic, clic, clic, *au rythme de la musique.* Et que ferais-tu si la bouilloire débordait ? *Les canaris se taisent, attentifs.* Que ferais-tu à part la remplir de nouveau ? *Toutes les horloges de la maison sonnent l'heure – d'abord, le cadran au-dessus du four,* drrr da da doute da da diddli da dum, *puis le baromètre qui repose dans son étui en bois de pêcher sur la bibliothèque,* drrr da da doute da da diddli da dum, *puis le chronomètre en laiton niché sous une coupole en verre sur la table de nuit,* da diddli da di da di da dum, *puis la grande pendule dans son meuble en épicéa,* da diddli da di da di da dum, *dont les aiguilles tournent à l'envers.*

Les soubassements de l'univers

Octobre 1978

Ça commence avec des réservoirs métalliques remplis d'un feu liquide tombant du ciel. C'est la dernière chose que Gordon nous disait se rappeler concernant l'attaque. Le reste, on l'imagine.

Les rayons blancs de l'aube traversèrent les paupières du sergent Gordon et il se réveilla avec une odeur d'essence, de plastique et de chair carbonisée dans les narines. La rivière était à sec, immobile, seuls quelques oiseaux fouisseurs sautillaient sur son lit gris et craquelé, nettoyant les os des camarades du sergent Gordon à la recherche de tendons et de moelle. De larges bandes de terre brûlaient encore, bien que le feu n'eût plus rien à consumer.

Si, cette année-là, l'année de la mort du pays, un pilote de bombardier avait jeté un œil depuis son cockpit, tout là-haut dans le ciel, en direction de la frontière nord de la Rhodésie, il aurait vu l'ombre de son avion s'étendre au-dessus de zones de terre pareillement brûlées, dévastées. Le sergent Gordon tenta de se lever mais ses jambes se dérobèrent sous lui. Sa patrouille s'était égarée pendant la nuit. Personne ne préviendrait l'équipe de secours avant le milieu de la journée. C'était le matin des premières funérailles de Gordon.

Le bruit d'un moteur transperça la brume poussiéreuse. Le sergent Gordon redressa la tête et aperçut une vieille Ford britannique se dirigeant vers lui. La soif et le coup qu'il avait reçu sur le crâne avaient modifié sa perception de la réalité et il pensa que ce véhicule lui était envoyé par Dieu afin de le conduire dans l'au-delà.

Des guérilleros avec des lance-roquettes et des AK-47 se tenaient sur les marchepieds. Le sergent Gordon baissa la tête, incapable d'en supporter le poids. La voiture ralentit, s'arrêta, et des mains l'attrapèrent par les bras et les jambes. Sur la portière, des mots avaient été peints en rouge : le Feu purifiant. Les soldats attachèrent le sergent Gordon au capot comme du gibier et repartirent en direction du nord, vers le Zambèze.

Son crâne déjà endolori heurta à plusieurs reprises le capot tandis que le véhicule rebondissait sur le terrain accidenté. Gordon ferma les yeux, s'isolant du vent, de la chaleur et des insectes, et se revit adolescent tapi à l'arrière d'un camion, tentant d'échapper au service national. À moins que cet adolescent, ce ne soit moi, auquel cas le sergent Gordon m'aura volé ce fragment de mon histoire pour le faire sien.

Quand ils parvinrent au fleuve, les hommes détachèrent le prisonnier afin qu'il puisse se désaltérer. Sur la berge opposée, des soldats ahanaient à l'unisson tout en tirant sur une corde afin de déplacer le bac qui reliait les deux rives. Alors qu'il s'en approchait, le sergent Gordon constata qu'il s'agissait d'un radeau en bois d'ébène mal dégrossi posé sur un lit de pneus. Les barres de cuivre, empilées au centre, pesaient sur le bac qui affleurait à peine à la surface de l'eau. Le sergent Gordon revint s'affaisser contre le véhicule, le ventre douloureux d'avoir bu si vite. Le toit en tissu de la Ford partait en lambeaux. La banquette arrière avait été retirée pour laisser la place aux boîtes de munitions, aux mines, aux cartons éventrés pleins de prospectus de propagande et d'uniformes.

Une camionnette apparut derrière un bouquet d'acacias et vint se garer à côté d'eux. Sur le côté, on pouvait lire :

Hawkings et fils
Exploitation et transformation du cuivre, Ltd
Échangeurs de chaleur/Radiateurs/Tubes

Deux hommes en bleu de travail descendirent de la cabine, l'un plus jeune que l'autre, le fils et son père à l'évidence. Ils se tournèrent vers le bac.

— La cargaison était supposée être prête, dit le plus âgé.

— Vous voyez, ça arrive, lui répondit un des soldats.

Hawkings jeta un coup d'œil à sa montre.

— En attendant, on reste plantés là le cul à l'air, et la police peut nous tomber dessus à tout moment.

Le fils regarda le sergent Gordon sans curiosité.

Le bac accosta et le commandant, un borgne avec une énorme barbe blanche tressée, entra dans l'eau jusqu'aux chevilles. Il portait deux pistolets dans leur étui et deux cartouchières. Deux clés pendaient à sa taille, l'une en laiton, l'autre en acier. Des cicatrices récentes soulignaient l'orbite vide.

— Allez, on se dépêche ! cria-t-il, et ses hommes formèrent une chaîne afin de charger les tubes en cuivre dans le van.

À la fin, Hawkings tendit plusieurs billets à l'homme à barbe.

Le vieux soldat fronça les sourcils.

— Ce n'est pas ce qu'on avait convenu.

— Eh bien, reprends ton foutu cuivre, alors, grogna Hawkings.

Le fils sortit une arme à feu de sa ceinture qu'il posa bien en vue sur le pare-chocs de la camionnette.

Les hommes pivotèrent vers leur chef.

— La semaine prochaine, tu m'apportes le reste de l'argent, dit-il enfin.

Hawkings remonta dans son véhicule.

— Je ne sais même pas si je bosserai toujours, la semaine prochaine.

Les marchands de cuivre repartirent, les soldats poussèrent la vieille Ford sur le pont et le bac entama son trajet retour, ployant sous le poids de la voiture. À l'horizon du fleuve, la Rhodésie s'éloignait. Quelqu'un – un garçon d'une des missions, sans doute – entonna « *In exitu Israel de Aegypto* » d'une voix de ténor léger. Les autres frappèrent le pont des pieds et renchérirent en chantant et en tirant sur la corde.

Un camion, moteur en marche, attendait de l'autre côté du fleuve. Le bac fit une embardée en heurtant la berge. Les hommes poussèrent la voiture à terre cette fois, rattachèrent leur prisonnier au capot et remontèrent sur les marchepieds pour suivre le camion le long d'un sentier orienté ouest-nord-ouest. En Zambie.

Cette après-midi-là, il plut et les ornières se remplirent d'une eau boueuse qui éclaboussait le nez et les lèvres du sergent Gordon. Jusque-là, rien de nouveau. La plupart d'entre nous étions arrivés aux mines de la même façon.

La lune monta et descendit dans le ciel sans se laisser voir, cachée par de gros nuages d'orage. Les deux véhicules progressaient dans le torrent et le sergent Gordon détourna le regard du ciel pour éviter de s'y noyer. La foudre s'abattit sur des arbres des deux côtés de la route, suffisamment près pour remplir l'air d'électricité et lui laisser un goût métallique dans la bouche. À un moment de cette nuit assourdissante et éprouvante, le sergent Gordon jeta un œil au premier soldat sur le marchepied. Le guérillero lui rendit son regard et ensemble ils éclatèrent de rire, par-delà le rugissement de la pluie, du vent et des amortisseurs.

Quand la vieille Ford s'arrêta enfin, le sergent Gordon aperçut les contours d'un imposant terril. À quelques pas de là, des soldats tiraient des roquettes dans un amas de minerai qui explosait en mille morceaux. Des jeunes femmes transvasaient les débris dans des fourneaux en céramique installés sur des brasiers de charbon que des bâches protégeaient de la pluie. Des femmes plus âgées, portant des tabliers de cuir et des moufles en amiante, entretenaient les feux avec de grands soufflets en peau de chèvre. Un générateur diesel hoqueta dans un coin et libéra un nuage de fumée noire, menaçant un instant de claquer, puis se reprenant lorsqu'une des vieilles le manipula. L'ensemble se révélait à Gordon par intermittence, soit grâce à la faible lueur des brasiers, soit grâce aux éclairs.

Les soldats déshabillèrent le sergent et se disputèrent ses bottes, son briquet et son blouson. Des filets d'eau de pluie dégoulinaient de la barbe du commandant, planté à côté d'un affleurement de grès, solitaire, l'œil fixé sur Gordon.

— C'est l'heure de ton enterrement, déclara-t-il.

Le commandant mena le sergent Gordon en haut de la mine.

— En dessous, c'est ton tombeau.

Il aida son prisonnier à empiler des pierres pour marquer sa tombe et, ensemble, ils enfoncèrent un bout de bois dans le toit en grès de la mine de cuivre. Ainsi, à la mort du sergent, son âme retrouverait le chemin du monde extérieur. Des centaines de cairns constellaient le sommet.

— Mwari, dieu de l'univers, s'il te plaît, accueille l'esprit de cet homme et abandonne son corps vide à la souffrance.

La barbe blanche du guérillero brillait d'un reflet orange crasseux à la lueur des feux.

Après avoir frappé la tombe, le commandant conduisit le sergent Gordon vers une entaille dans le grès munie d'une solide grille en cuivre. Il détacha les deux clés de son ceinturon, les fit pivoter dans les serrures en même temps et ouvrit le portail dont les gonds usés grincèrent. Quand ils en franchirent le seuil, la grille se referma sur eux, les coupant du monde. Le sergent Gordon se trouvait à l'embouchure d'un puits. Le sol et la voûte semblaient se fondre l'un dans l'autre, comme si la mine avait été creusée par un énorme insecte. Des ampoules pendues à des fils de cuivre vibraient en vacillant.

Le commandant entraîna le sergent devant un cercle rouge peint au sol.

— C'est pour signaler les explosifs, expliqua-t-il. Les Allemands de l'Est nous ont donné des milliers de mines. Mieux vaut ne pas tenter de sortir quand les lumières sont éteintes.

Au-dessus de leur tête, des tuyaux sifflaient. La poussière de cuivre étouffait le moindre bruit et la moindre lumière. Un labyrinthe de galeries irradiait au fond du puits, en direction du minerai et des parois violacées par le cuivre. Chaque galerie était marquée d'une lettre à la craie.

Pendant la descente, la respiration du sergent Gordon se fit plus difficile, comme si la masse grandissante de la roche le séparant de la surface pesait sur ses poumons. Le commandant sortit ses pistolets sans lâcher son prisonnier des yeux.

— Désolé. Les prisonniers ne posent pas de problèmes à l'extérieur. C'est ici qu'ils commencent à causer des ennuis.

Les cartouchières épousaient la forme de son torse.

Depuis sa formation dans les Forces de sécurité de la Rhodésie, le sergent Gordon s'était préparé à la mort. Mais pas comme ça, pas enfoui profondément sous terre dans une obscurité oppressante. Il tenta de maîtriser sa voix.

— Vous ne pouvez pas me laisser partir ?

— Malheureusement, non. Mes hommes ne me respecteraient plus. Et nous finirions tous les deux dans cette mine.

Un soldat armé passa à côté d'eux. Le commandant lui rendit son salut.

— Vous vous considérez comme des soldats de la liberté, reprit le sergent Gordon, d'une voix plus forte.

— La guerre est terminée. Je suis un homme d'affaires.

Alors qu'ils poursuivaient leur descente, le guérillero borgne s'expliqua. Il comptait s'acheter une maison dans l'une des banlieues chics réservées aux Blancs d'Umtali, ainsi qu'une femme jeune qui remplacerait celle qu'il avait enterrée.

— Avant, je me surnommais « camarade Palais d'Hiver », en hommage à la dernière bataille de la révolution russe, ajouta-t-il. Nous avons tous changé de nom afin de protéger nos villages des représailles. Mais maintenant que la guerre est presque terminée, je m'appelle Winston Chaminuka.

Il prononça le nom lentement, comme s'il devait encore s'y habituer.

— Winston, comme Churchill. Chaminuka, comme le prophète shona qui annonça l'arrivée des Européens, et leur défaite. Voilà un bon patronyme pour lequel voter quand nous aurons des élections libres, non ?

Ils croisèrent des enfants avec, sur le dos, des paniers remplis de minerai. Winston Chaminuka se fit silencieux. Ils contournaient les cercles rouges marquant l'emplacement des explosifs, chaque pas plus lent que le précédent, comme si, loin de la surface, les effets de la gravité étaient inversés.

Au bout d'une heure environ, ils s'arrêtèrent devant l'entrée d'une galerie marquée de la lettre Z. Winston Chaminuka arma ses pistolets. L'orbite de son œil manquant tressauta.

— Galerie Z. C'est là que tu travailleras.

L'œil valide fouillait l'obscurité avec nervosité ; on aurait dit qu'un diable risquait à tout moment de surgir. Le commandant regarda sa montre, une étoile rouge figurait sur le cadran – cadeau de l'armée soviétique.

— Quatre heures, le temps passe vite. Je dois remonter à la surface avant l'extinction des feux. Trouve l'abbé, il t'aidera. Prends soin de toi.

Winston Chaminuka recula de quelques mètres dans le puits, tourna les talons et se dépêcha de s'éloigner, le pas plus léger.

À présent seul, le sergent Gordon sentait toute la pesanteur de la masse rocheuse au-dessus de lui. Les murs frémissaient. Il pénétra dans la galerie Z et ses cheveux effleurèrent le plafond. Des poutres grossièrement découpées soutenaient la galerie à intervalles irréguliers. Il s'arrêta devant une taille formée selon un angle aigu au toit étançonné par des piliers bleu foncé d'azurite brute. Malgré l'intense chaleur souterraine, un groupe d'hommes nus recouverts de particules de cuivre se tenaient autour d'un feu de poutres semblables à celles qui étayaient la galerie. Dans la taille flottait l'écœurante odeur du gibier mal dépecé – chair brûlée pourrie par les sécrétions glandulaires. Deux des mineurs faisaient tourner une large créature attachée à une broche au-dessus des flammes. Un autre, en capuchon et sandales, s'adressa à l'assemblée :

— Que cette chair nous nourrisse jusqu'au jour où le Christ fera tomber la grille de ces abysses et nous délivrera de l'oubli.

Le sergent Gordon s'approcha afin de voir quel animal on pouvait bien rôtir si bas sous terre. C'était un homme.

*

Alors que Gordon était enfant, une domestique le surprit en train de mettre le feu à un scarabée. « Toutes les mauvaises choses que tu fais, lui dit-elle, te seront faites en retour. » Le souvenir de ces paroles revint au sergent Gordon dans cet endroit maudit, à cinq kilomètres en dessous du monde des vivants.

Un flot de bile lui envahit la bouche devant le dîner des mineurs. Le prêcheur fit un pas en avant. Jadis, il avait dû être robuste. Désormais la peau pendait sur ses membres amaigris et les plis de son ventre recouvraient presque son pénis non circoncis. Ses ravisseurs l'avaient autorisé à garder son capuchon et ses sandales – fallait-il y voir une mauvaise plaisanterie ?

— C'est moi l'abbé, dit-il en ramassant une pointe de minerai. Donne-moi ta main, démon.

Sur l'avant-bras du sergent Gordon, il traça : Z-10.

— Ici, tu t'appelles Zède-tiret-un-zéro, précisa l'abbé d'une voix éraillée. Contemple ton nom et ton prédécesseur.

Il désigna l'homme sur la broche.

— Tu travailleras sa taille.

L'homme rôti avait les yeux clos, son visage carbonisé semblait calme.

— Pas d'inquiétude, il était mort avant qu'on commence à le cuisiner. Dieu nous a peut-être abandonnés mais on n'est pas des barbares.

L'abbé plissa les yeux en approchant son visage de celui du sergent Gordon.

— Dis-moi, démon, qu'est-ce que tu as fait ?

— Comment ça ?

— Tu as dû commettre un crime terrible pour que Dieu t'envoie ici. Dis-le-nous et sois-en débarrassé.

Chaque nouvel arrivant de la galerie Z s'était confessé à l'abbé, mais, avec le temps, la fatigue et la misère, nous avions oublié nos offenses commises à la surface et le châtiment qu'étaient devenues nos vies avait perdu tout son sens.

— Pourquoi devrais-je ? demanda le sergent Gordon à l'abbé. Et toi, qu'est-ce que tu as fait pour atterrir ici ?

Les lumières tressautèrent, gagnèrent en intensité.

Je cessai de faire tourner la broche. Les autres semblaient attendre que la foudre s'abatte sur la roche pour terrasser le sergent Gordon. Bien qu'il nous restât peu de souvenirs de notre vie ancienne, l'abbé avait réussi à nous convaincre que nous méritions d'être ici.

Ce dernier leva les yeux vers le plafond rocailleux, la mâchoire crispée.

— Je me suis évertué à mener une existence exemplaire. Pour ce qui me concerne, Dieu a commis une erreur.

Sur terre, la vieille femme éteignit le générateur, plongeant la mine dans le noir.

*

Les ampoules clignotèrent quatre heures plus tard, les soufflets injectèrent l'air de la surface dans la mine et nous nous rassemblâmes devant l'orifice d'un tuyau afin de respirer.

Nous travaillions les tailles par deux. Le coéquipier du sergent Gordon se présenta comme étant Zède-tiret-zéro-neuf. Alors qu'ils frappaient la roche de leur pioche, ce dernier interrogea Gordon sur ses ravisseurs.

— Est-ce qu'ils sont toujours sous les ordres d'un homme avec un seul œil ?

Le sergent Gordon hocha la tête, déjà essoufflé par l'effort.

— C'est moi qui lui ai pris cet œil, dit Zéro-neuf avec satisfaction. Le jour où il a voulu s'emparer du commandement de mon unité. Mais quelqu'un m'a assommé avec une carabine et, comme tu le vois, camarade, me voilà.

Le sergent Gordon abaissa sa pioche.

— Avant, tu dirigeais les combattants pour la liberté ?

— Les combattants pour la liberté ? cracha Zéro-neuf. Tu as vu où on est ?

— Leur commandant se considère comme un homme d'affaires, poursuivit le sergent Gordon.

— Qu'il se considère surtout comme mort si je sors un jour de ce trou. Il n'a pas eu le courage de me tuer quand il en a eu l'occasion. Maintenant, il se pisse dessus dès qu'il approche de la galerie Z.

Zéro-neuf donna un furieux coup de pioche dans la paroi.

— Lors de notre entraînement en Algérie, on nous a enseigné que la propriété, c'était le vol. Mais je possède quand même une chose.

Zéro-neuf cessa de piocher.

— Laisse-moi te montrer cette chose que tu n'as jamais vue, du moins pas dans cet état.

Zéro-neuf précéda le sergent Gordon jusqu'à une niche à l'entrée de la galerie Z, où il enfouit sa main.

— Je ne l'ai pas lâché, même quand mes hommes m'ont traîné, inconscient, dans cette mine de cuivre.

Il ouvrit la main et révéla un objet flétri, de la taille d'une datte. L'œil de Winston Chaminuka.

Le sergent Gordon et Zéro-neuf revinrent à leur taille et se remirent au travail, piochant de tout leur corps. Chaque coup sur le minerai provoquait des étincelles qui leur mordaient la peau. Le sergent Gordon sentit des ampoules se former sur ses mains et ses muscles s'engourdir, comme nous tous, à notre arrivée.

— Bienvenue dans le monde du prolétariat, camarade, lui dit Zéro-neuf en souriant. Ton dos va se muscler et tes mains vont s'endurcir, mais la douleur ne fera qu'augmenter.

— Démons, taisez-vous ! lança l'abbé, venu surveiller leurs progrès. Gardez votre souffle pour le travail.

Zéro-neuf agrippa le manche de sa pioche comme une matraque. L'abbé recula dans la taille.

— N'écoute pas ce qu'il dit sur Dieu et le châtiment, reprit Zéro-neuf quand ils furent de nouveau seuls. L'Église est un moyen d'oppression.

Les ampoules sur les paumes du sergent Gordon crevèrent et le manche de sa pioche devint poisseux. La vieille femme éteignit le générateur. Nous nous allongeâmes là où nous étions à cet instant, dans l'obscurité souterraine. Le sergent Gordon observait le ciel rocheux dépourvu d'étoiles, forçait ses poumons à se gonfler d'air, quand un bruit sourd s'éleva et se transforma en cri, déclenchant d'autres cris, et bientôt ceux du sergent Gordon qui unit sa voix aux nôtres.

D'après Zéro-neuf, la mine de cuivre remontait au temps de Jésus-Christ, le traître du prolétariat. L'ancien chef de la guérilla l'avait découverte par hasard après avoir installé son QG dans le grès fissuré.

La galerie Z comportait dix-sept prisonniers : huit paires de mineurs supervisés par l'abbé. Parmi nous, des membres des Forces de sécurité de Rhodésie, des fermiers, des fonctionnaires, des pêcheurs, quiconque pouvant être contraint par la guérilla. Recouverts de poussière de cuivre, nous n'avions plus de couleur, plus d'origine. Le minerai était extrait selon les mêmes méthodes primitives qu'aux débuts de la mine, seul moyen de la rentabiliser après l'effondrement du cours du cuivre. Nous progressions nus, courbés sous les plafonds bas des tailles, dans une fausse humilité, en direction du centre de la Terre et à raison d'un demi-mètre quotidien.

La journée commençait par le démarrage du générateur diesel et se terminait quatre heures plus tard quand il s'éteignait. Un soldat armé gardait l'entrée du puits, uniquement dans les moments où il était éclairé, avec l'ordre de tirer à vue. La nuit tombait instantanément, quatre heures d'obscurité parfaite.

Une nuit, le sergent Gordon tenta de se frayer un chemin à travers les galeries labyrinthiques dans l'espoir d'atteindre la surface. Il marquait la paroi avec un morceau de grès afin de retrouver sa route si jamais il ne parvenait pas à s'échapper. Il trébucha toute la nuit, se cognant au plafond, percutant les murs de plein fouet. Malgré la côte, il eut le sentiment de descendre vers plus d'obscurité encore. C'est là, nous expliqua-t-il, qu'il ressentit une terrible présence et resta figé de terreur malgré tous ses efforts pour s'enfuir.

Les lumières se rallumèrent d'un coup et le sergent Gordon vit qu'il avait un pied posé sur un cercle rouge signalant l'emplacement d'un explosif. En suivant ses marques de grès, il rebroussa chemin avant l'arrivée du garde. Il ne lui fallut que quelques minutes pour refaire la distance qu'il avait parcourue en quatre heures dans le noir. Il se promit de réessayer, mais sa détermination flancha à l'extinction des feux suivante, et il se contenta de scruter les ténèbres comme l'un de ces poissons aveugles qui croisent dans les tréfonds des océans.

Endormi, le sergent Gordon rêvait de sa vie à la surface. Réveillé, il en repassait chaque détail dans sa tête tout en creusant la roche. Avec le temps, il cessa de faire la distinction entre le sommeil et l'éveil, entre les souvenirs et les rêves.

La poussière de cuivre teintait tout d'une couleur rouge-brun, s'insinuant dans nos yeux, tapissant nos sinus et notre gorge ; la fièvre des métaux nous faisait transpirer et frissonner. La salive du sergent Gordon devint si épaisse qu'elle dégoulinait simplement le long de son menton bien qu'il crachât avec force. Sa poitrine se comprima et il apprit à prendre de petites inspirations pour s'épargner de douloureuses quintes de toux.

Parfois, quand les lumières s'allumaient, l'un des nôtres ne se relevait pas de ses quatre heures de sommeil. Nous trouvions le mort recroquevillé sur lui-même parmi les éclats de pierre, vaincu par la chaleur et la poussière. À cette occasion, l'abbé nous ordonnait de faire un feu et nous embrochions le cadavre du mineur.

Nous recevions juste assez de nourriture pour tenir, proportionnelle au nombre de paniers de minerai que nous renvoyions à la surface à dos d'enfant. Jamais assez pour avoir l'énergie de nous révolter. Nous consommions du poisson pourri que les enfants ramassaient sur les rives des ruisseaux empoisonnés par les déjections de la mine ; plus souvent des racines et des cormes récoltées par les femmes aux fourneaux, lesquelles puisaient aussi notre eau au trop-plein du puits. Elle était chaude, avec un léger goût d'arsenic. Nous piégions et mangions des rats, mâchions l'écorce des poutres de la galerie, rôtissions nos morts.

Quand la roche était trop dure et que nos pioches n'arrivaient plus à en extraire suffisamment de minerai pour que nous soyons nourris, l'abbé nous enjoignait de détacher les poutres des galeries, de les empiler contre la paroi et d'y mettre le feu. Puis nous répandions de l'eau sur la pierre chauffée qui se craquelait sous l'effet du changement brutal de température, nous permettant de récupérer du cuivre. Nous poussions les brouettes une fois remplies dans les galeries étroites en direction du puits où les enfants attendaient avec leurs paniers. Neuf livres de minerai sur dix étaient à jeter.

La guérilla avait cessé depuis longtemps d'envoyer des planches de bois pour soutenir les galeries et les tailles. Elle en avait besoin pour entretenir les fourneaux. À mesure que nous progressions sous terre, nous cessâmes de sécuriser le plafond, préférant retirer les morceaux de roche branlants à la pioche.

Un jour, une violente secousse traversa la galerie Z, suivie par un énorme nuage de poussière. Nous lâchâmes nos pioches, nos pelles et nous précipitâmes vers la taille effondrée. Les pieds de l'abbé dépassaient des gravats de malachite ; ses sandales avaient été projetées dix mètres plus loin.

— Laissez-le, intima Zéro-neuf, mais le sergent Gordon, toussant et crachant, attrapa les jambes de l'abbé et le tira de sous les débris.

Le sergent Gordon marquait les années en fonction des pluies qui s'insinuaient jusqu'à nous. Le niveau de l'eau nous obligeait parfois à dormir debout, et les crues soudaines à nous coller aux piliers qui soutenaient les tailles, la joue pressée contre le plafond afin de trouver de l'air. Trois saisons des pluies étaient passées depuis l'arrivée du sergent Gordon, deux mille jours sous terre, chacun d'une durée de quatre heures, et représenté par un demi-mètre gagné sur la roche.

Une nuit, Zéro-neuf tabassa l'abbé avec une pelle ; chaque coup résonnait mollement dans la galerie. Quand les lumières s'allumèrent, Zéro-neuf se présenta devant nous arborant le capuchon et les sandales de l'abbé, et nous l'acceptâmes comme chef.

Le cuivre s'était depuis longtemps immiscé dans le cerveau de l'abbé. La nuit, il courait dans la galerie jusqu'à percuter un mur et à s'écrouler. Dépourvu de ses atours, il prit la place de son usurpateur au côté du sergent Gordon. Les deux hommes échangeaient quelques mots entre deux coups de pioche. L'abbé raconta au sergent Gordon que, dans la vraie vie, il avait en charge un monastère de l'ordre de Saint-Augustin.

— J'ai joué le rôle de père et de professeur auprès des sauvages qui chassaient l'hippopotame le long du Zambèze. La plupart sont morts, maintenant. J'espère que Dieu a mieux traité leurs âmes que la mienne. Et toi, démon, qu'est-ce que tu faisais dans la vie ?

Le sergent Gordon reprit son travail sans répondre. Peu après, les lumières s'éteignirent, les deux hommes posèrent leur pioche et s'allongèrent par terre.

Plusieurs jours et nuits passèrent avant que le sergent Gordon ne reprenne le fil de la conversation.

— J'étais éclaireur, dit-il.

L'abbé abaissa sa pioche et l'observa.

— Les éclaireurs sont les fruits d'une mauvaise terre. Ils fouillent les villages, se cachent dans le bush, épient. Tôt ou tard, ils voient quelque chose : une empreinte de pas insolite, trois hommes qui marchent de conserve, l'herbe piétinée par les danseurs d'une cérémonie d'unification, des fruits ou des légumes laissés à l'orée d'un village, plus de lits que d'habitants. Si l'on prend le temps d'observer, on finit toujours par trouver. C'était toi l'opérateur radio qui a demandé les frappes aériennes et fait brûler tous les villages ?

Les lumières s'éteignirent et le sergent Gordon scruta l'obscurité.

— C'est moi qui ai donné cet ordre à l'opérateur radio, dit-il enfin.

Une demi-douzaine de nuits défilèrent avant que l'abbé ne reparle au sergent Gordon.

— Quand je foulais encore la terre de Dieu, j'ai célébré trois cent quatre-vingt-sept enterrements. La plupart des morts avaient été brûlés dans les bombardements. Des villages entiers rasés par tes avions de guerre. Maintenant, je travaille au côté du responsable de ce carnage. Il n'y a pas de coïncidences, démon. Seulement la volonté perverse de Dieu.

Quand les lumières se rallumèrent, l'abbé fixait le plafond de minerai comme s'il entendait se creuser un passage jusqu'à la surface par la seule force de sa volonté.

— Comment T'ai-je offensé, hurla-t-il à la roche, pour que Tu m'envoies griller sous la croûte terrestre avec ces démons ?

Dorénavant, l'abbé refusa de partager la taille du sergent Gordon et Zéro-neuf m'imposa de travailler au côté de l'éclaireur.

Nous creusions la taille selon des angles aigus, en suivant le cuivre. Pendant les demi-nuits, délivré par la vacuité et l'obscurité, le sergent Gordon entreprit de raconter ses souvenirs, tissant entre eux les fils de sa vie. Quand la vieille femme débranchait le générateur, nous nous rassemblions, récusant le sommeil afin de respirer ses mots. Depuis tout ce temps dans la mine, nos propres histoires s'étaient perdues.

Il nous parla de son enfance, de l'époque où son monde se résumait à une cuisine et à un jardin. Il nous fournit les détails de sa naissance, de son baptême, dépeignit les domestiques qui l'avaient élevé, tous les événements qui conduisirent à sa capture par la guérilla, attaché au capot d'une vieille Ford. Il évoqua aussi ses funérailles. La fois où il tenta de se sauver de la mine. Et ses conversations avec l'abbé ou avec Zéro-neuf.

Au départ, le sergent Gordon organisait ses récits de manière chronologique, puis selon des motifs, des thèmes ou des métaphores dans l'espoir d'y donner un sens; il ajoutait et retirait des éléments, jusqu'à ce que l'histoire devienne une entité vivante douée de parole. Elle nous parlait dans la nuit souterraine – une voix désincarnée.

Écoutez, nous disait-elle.

— Une histoire, réclamions-nous.

Une histoire rassasiante! répondait-elle.

— Oui, raconte! disions-nous, et la vie du sergent Gordon émergeait de l'obscurité pareille à une mosaïque de visions et de sensations disjointes: un petit morceau d'une berceuse que la femme de ménage lui chantait, l'odeur de café caracoli, l'éclat d'un flamboyant, le brouhaha dans ses oreilles alors qu'il ahanait au-dessus du corps d'une jeune fille et perdait sa virginité, l'agonie figée sur les visages des villageois bombardés.

Quand le sergent Gordon parvenait à un épisode dont il avait honte, nous nous penchions un peu et lui demandions de répéter son offense afin de la graver dans nos mémoires, de la faire nôtre. Nous avions oublié nos propres mauvaises actions et besoin d'une raison pour justifier notre sort. Si, comme le clamait l'abbé, le Christ avait enlevé les péchés du monde, le sergent Gordon, à travers son histoire, les remettait à leur place.

Parfois, l'histoire devenait le théâtre des morts. Des bombes larguées du ciel sifflaient dans nos oreilles et nous touchions notre visage brûlé, surpris de découvrir que notre peau ne partait pas en lambeaux. À d'autres moments, nous distinguions les pas feutrés de la patrouille du sergent Gordon tandis que leurs fantômes arpentaient la mine de cuivre, à la recherche de la guérilla. Une nuit, j'entendis des centaines de villageois assassinés courant dans les tailles, affolés ; leurs plantes de pied ensanglantées faisaient un bruit mouillé sur la pierre.

— Peut-être qu'à la surface ils peuvent prétendre séparer les morts des vivants, dit l'abbé quand l'histoire se tut. Mais pas ici. On vit aux côtés des morts. Croire le contraire serait un leurre.

Pendant le labeur, le sergent Gordon ne parlait plus. L'histoire lui avait pris tous ses mots. Au milieu du silence, des images de ma vie à la surface m'apparaissaient sculptées dans la roche comme des bas-reliefs. Le visage d'une femme. D'un enfant. Si j'essayais de les détruire, elles se reformaient sous ma pioche, me laissant essoufflé et engourdi, avant que je tombe à genoux et consente à fixer les yeux fragiles de la malachite, au seuil d'un souvenir.

La poussière de cuivre s'insinua dans le sang du sergent Gordon ; le pourrit. Sa peau se mit à peler là où le napalm avait atteint ses épaules et son cou. Il était pris de nausées terribles, de diarrhées, de vomissements. Ses reins commencèrent à lâcher. Le sergent Gordon se mourait.

Il les a tués, nous confia son histoire, une nuit.

— Qui ? demandai-je.

Le sergent Gordon a ordonné les frappes aériennes sur sa propre patrouille d'éclaireurs. Ils progressaient le long d'une rivière quand les bombes sont tombées. Même l'eau a brûlé.

De tels actes étaient courants à la surface. Peut-être même en avais-je commis de semblables. Les ampoules clignotèrent et s'allumèrent, recouvrant la galerie d'un voile jaunâtre, et nous reprîmes le travail.

Puis vint un jour où le générateur ne démarra pas, nous abandonnant à la nuit éternelle. Tandis que nous écoutions l'histoire du sergent Gordon, la poussière et la chaleur se dissipèrent, puis l'obscurité se fendit pour révéler une coupe transversale de l'univers, un immense trou dont les ramifications s'étiraient tel un arbre à l'envers – la galerie principale formait le tronc ; les galeries annexes, ses branches ; les tailles, ses feuilles. Je vis le filament de mon propre esprit rejoindre la multitude des autres afin de former un motif complexe de veines scintillantes. Certains fils couraient le long de la mine, au-dessus, en dessous ; d'autres la traversaient brièvement puis partaient dans des directions différentes, comprimés sous une masse de pierre et d'alluvions. À ce moment de l'histoire, le sergent Gordon révélait l'existence du Grand Ver s'insinuant sous la terre, séparant le minerai de sa gangue, au sein d'un immense brasier qui consumait tout sans fin. Dans la gueule de cette fournaise infinie, j'entrevis ses anneaux géants.

Je ne saurais dire pendant combien de temps je contemplai les soubassements de l'univers avant d'être réveillé d'une violente secousse à l'épaule.

— Debout ! lança le sergent Gordon.

— Laisse-moi dormir.

— L'heure est venue de partir.

— Et les explosifs ?

Je restai allongé par terre, peu décidé à quitter la galerie Z et son obscurité protectrice.

— Suis ma voix, insista Gordon.

Mon corps se leva de son propre chef et je me joignis à la chaîne humaine formée par les autres mineurs. Une main posée sur l'épaule de celui qui nous précédait, nous suivîmes le sergent Gordon qui nous guida hors de la galerie, dans le puits, et à la surface. Je percevais la présence des morts. Le sergent Gordon entraînait avec lui les fantômes de ses victimes afin qu'elles s'émancipent de leur nuit souterraine éternelle. Alors que nous progressions dans le noir, veillant à ne pas mettre un pied sur les mines, il leur parlait, et elles lui répondaient, sans que leurs murmures me parviennent. La communication entre les vivants et les morts ressemble à des nuages de brume qui se rencontrent et se dispersent.

À chaque pas, je m'attendais à une détonation. Peu importait, je persistais, mon courage croissant à chacun de ces pas qui me rapprochait du ciel. Nous nous arrêtions à l'entrée des galeries et le sergent Gordon frappait les conduits jusqu'à ce que les mineurs en émergent et se joignent à nous. Quand la dernière galerie fut vide, chaque homme prononça son nom, dans l'ordre de la chaîne, et les chiffres résonnaient dans le puits – quatre cent cinquante-neuf mineurs.

Lorsque nous reprîmes notre marche, il se passa quelque chose d'étrange. L'air n'avait plus cette odeur métallique de celui qu'on force dans des tubes de cuivre. Nous respirions l'air de la surface ! J'éclatai en sanglots. Derrière moi, l'homme dont la main était posée sur mon épaule se mit aussi à pleurer, ainsi que l'homme derrière lui, et une vague d'émotion traversa la chaîne longue de cinq cents mètres, jusqu'à ce que nous soyons submergés par tout ce que nous avions enduré ; alors des rires fusèrent, parce que notre calvaire allait bientôt prendre fin, et des cris de colère aussi, à l'idée que nos destins aient pu être aussi cruels, si bien que la queue s'arrêta. J'ignore combien de temps nous restâmes immobiles dans le puits, bouleversés. Devant nous, la grille en cuivre était ouverte. Dehors, les fourneaux luisaient.

Il m'est impossible de savoir comment le sergent Gordon parvint à nous faire sortir de la mine. Peut-être un coup de chance et de désespoir. Ou un simple acte de foi. Peut-être que les mines au sol n'ont jamais existé – plus facile de peindre des cercles rouges que d'acheter et d'enterrer des explosifs ; la peur fait le reste.

Le sergent Gordon nous fit passer le portail, mais l'abbé refusa d'en franchir le seuil.

— Je quitterai cet enfer quand Dieu me demandera pardon pour avoir condamné un homme honnête, dit-il, et il repartit au fond du puits attendre Ses excuses.

Nous émergeâmes recouverts de poussière de cuivre, aveuglés par la lumière. Notre colonne vertébrale, courbée depuis des années, refusait de se redresser. Nous remplîmes d'air nos poumons atrophiés, étirâmes les bras, hilares en constatant que nos mains ne rencontraient plus l'obstacle de la roche.

Un soleil couchant sans grandeur jetait un voile rouge sur le paysage dénudé. La forêt avait été consumée par les brasiers brûlant jour et nuit sous les fourneaux. Des nuages ocre d'acide sulfurique flottaient bas dans le ciel. Des crues soudaines avaient balayé la terre, laissant uniquement des cailloux et de la poussière sur le sol. Le ruisseau puait l'arsenic, le poisson mort et les égouts. Je m'y lavai les bras et les mains, contemplant ma peau avec étonnement. J'en avais oublié la couleur.

Winston Chaminuka et ses soldats rebelles étaient partis depuis longtemps. Pour autant, les femmes n'avaient pas cessé d'entretenir les feux, de verser le cuivre dans les moules rectangulaires creusés à même le sol où il refroidissait et se figeait. Sans la guérilla poür les en débarrasser, elles avaient entassé les barres de cuivre comme des briques, érigeant un mur contre le monde. La vieille femme s'occupait toujours du générateur bien qu'elle n'ait plus de carburant. Je la vis regarder sa montre, se lever et éteindre l'appareil hors d'usage. Les enfants ramassaient toujours des cormes, des racines et du poisson en vue de nous les apporter. Nous avions continué à remplir leurs paniers de minerai. Et le mur de briques de cuivre avait grandi.

Zéro-neuf ordonna aux femmes de s'arrêter mais elles persistaient, sans l'entendre. Il demanda aux hommes d'éteindre les feux ; quand bien même, elles se balançaient d'avant en arrière, le rythme du travail gravé dans leurs muscles, et il fallut les forcer à abandonner leur poste.

Plantés là, nous prîmes conscience de notre nudité devant ces femmes qui s'étaient fabriqué des blouses avec des sacs en plastique. Certains hommes revêtirent des treillis oubliés dans la vieille Ford ou bien enroulèrent des chemises et des vestes autour de leur taille émaciée. D'autres enfilèrent des tabliers de cuir. Avais-je déjà croisé certaines des femmes qui se tenaient devant nous ? Celle manipulant le générateur sembla vaguement me reconnaître. Peut-être avions-nous été mariés dans une autre vie datant d'avant notre arrivée à la mine. Je m'allongeai près d'elle afin de dormir, dans la pénombre qui tombait d'un ciel infini.

Le lendemain matin, au réveil, je contemplai la désolation alentour. Zéro-neuf avait filé, ses empreintes de pas indiquaient le sud. Sans doute comptait-il arpenter les banlieues chics d'Umtali afin de trouver Winston Chaminuka et de lui prendre son autre œil.

Il n'y avait rien ici, et nous partîmes aussi vers le sud, foulant un sol durci par la sécheresse ; plus de mille hommes, femmes et enfants, sans compter les fantômes – une armée de travailleurs du cuivre. Parfois, nous apercevions d'autres marcheurs au loin. L'Afrique est le continent des peuples qui marchent. Le sergent Gordon avait la respiration sifflante et son souffle dégageait la même odeur métallique que l'air pulsé de la galerie Z. Il rejoindrait bientôt sa patrouille assassinée.

Nous traversâmes des villages en ruine, des kraals[1] vides, jusqu'à un aérodrome déserté et recouvert de documents militaires. Parmi les ordres, dossiers et rapports éparpillés, le sergent Gordon ramassa une vieille édition jaunie du *Guardian* datée du 19 avril 1980. Le journal avait été imprimé, comme nous allions le découvrir, un an auparavant. Nous entourâmes le sergent qui lisait à voix haute. La Rhodésie et son gouvernement minoritaire n'existaient plus. Nous étions désormais les citoyens d'une nouvelle nation, le Zimbabwe.

*

Trente années ont passé depuis notre résurrection. Ces jours-ci, je dors sur le toit de ma maison située à l'est d'une ville dans les montagnes orientales, profitant ainsi du soleil avant tous les autres habitants du Zimbabwe. Le pays est devenu une nation de chrétiens ambulants. Ils entrent dans mon jardin et me menacent de la colère divine. « C'est trop tard », leur dis-je.

---

1. Enclos pour le bétail.

Sous un ciel étoilé brillant de mille feux, l'histoire continue de me parler. Je l'ai héritée du sergent Gordon, en même temps que de ses offenses. C'est moi, à présent, qui ordonne au radio de détruire les villages au napalm. J'assassine sa patrouille. Je violente sa petite amie, je mets le feu au même scarabée. J'exige la destruction au bulldozer des maisons et des champs. Dans un pays voisin, je participe aux massacres chroniqués dans le journal du matin. Les péchés se multiplient à la tombée de la nuit, s'amplifient à force d'être racontés, jusqu'à l'aube où, dans le silence, je me lève, paré de rosée et de nouveaux rayons de soleil. Sans nos péchés, les cairns n'auraient aucun sens, ni le dur labeur, ni les années perdues dans la mine de cuivre ; et toutes nos souffrances se réduiraient alors à de simples méchancetés ordonnancées par un dieu capricieux.

J'ai entendu les confessions de l'humanité, nos infamies n'ont pas de limites. Il est temps pour moi de quitter ce monde et, avec ma pioche et ma pelle, de passer au suivant. Le Grand Ver attend dans la pénombre, à jamais présent devant nous, derrière nous, autour de nous, invisible.

Le liseur de sang

Septembre 1978

Devant nous, cinq colonnes de fumée grasse se dressaient comme pour soutenir le crépuscule. Dessous, une bande de terre aride semblait décorée de guirlandes lumineuses de Noël. Un feu de détresse s'éleva au-dessus du Zambèze, se reflétant dans l'eau. L'Alouette entama sa descente et les ampoules de Noël se révélèrent être des rangées de feux au sol. Bongi s'assit, jambes pendantes en dehors de l'hélicoptère, m'ignorant, feignant de lire *L'Être et le Néant*, ne daignant pas même lever la tête quand le pilote provoqua une violente embardée pour nous faire peur. Bongi tenait sa cigarette entre son index et son majeur, la paume sur la bouche, à la manière de Sartre sur la photo de la couverture.

Avant, nous fumions des cigarettes Kingsgate mais Bongi préférait désormais les Madison. En changeant de marque, il espérait mettre de la distance entre nous, entre lui et mes divinations par le sang. Le sol se rapprochait sans offrir le spectacle d'herbes hautes fouettées par les pales de l'hélicoptère. La terre était trop écorchée. Dans ce secteur, décollages et atterrissages ne traînaient pas. L'Alouette remontait avant même que nos pieds aient touché le sol. Le bruit assourdissant des rotors, des pales et du moteur se perdait vite en un vague ronronnement.

Nous avions été déposés, Bongi et moi, dans un kraal à la lisière d'un village en feu. Je vérifiai mon équipement – deux gourdes, des tablettes de sel et de glucose, une cartouche de Kingsgate, une canette de Coca vide, un Zippo et une flasque de butane. De la fumée s'échappait de l'ouverture d'une case formant l'un des côtés du kraal. Dans un enclos, les estomacs d'un troupeau de chèvres carbonisées se soulevaient à mesure qu'ils libéraient du gaz. Des Vampire s'étaient abattus sur le village, des bombardiers équipés d'un réservoir de cent cinquante litres de frantan, le napalm de la Rhodésie. La fumée empestait le carburant, le polystyrène et la graisse animale brûlée.

Bongi rangea *L'Être et le Néant* dans son sac à dos. Le livre avait appartenu à Weatherhead, le troisième membre de notre patrouille d'éclaireurs, mort récemment. Je passai la courroie de mon fusil sur mon épaule et scrutai les herbes à hippopotames de l'autre côté de la rivière, en Zambie, là où l'ennemi se terrait, aussi palpable que la chaleur ambiante.

Un bulldozer vrombit en direction du kraal. J'en conclus que le village était condamné à être détruit ; sans doute les villageois avaient-ils fourni de la nourriture et des informations aux terroristes. Ou bien ils avaient participé à une cérémonie d'unification durant la nuit. Ou bien encore l'un d'eux avait été surpris en train de faire la triple poignée de main, se signalant ainsi comme un sympathisant de la guérilla. Un groupe de policiers réservistes avait rassemblé les villageois survivants dans un bus qui les conduirait derrière des barbelés où ils croupiraient jusqu'à la fin de la guerre. Le bulldozer racla la terre comme une vilaine croûte.

À quelques mètres, deux éclaireurs montaient une tente à huit côtés. Bongi et moi nous accroupîmes en attendant qu'on vienne nous dire quoi faire. Sur l'un des prospectus qui jonchaient le sol, on pouvait lire : « Tes ancêtres sont très fâchés contre toi. Résultat, il va y avoir une terrible famine. Seul le gouvernement peut t'aider. » Les éclaireurs transportèrent dans la tente un objet plat et lourd, dont la surface brillait sous la lune. C'était un grand miroir.

Dans la pénombre, j'examinai le sol. Le bulldozer avait soulevé tellement de poussière que les empreintes seraient invisibles au matin. Des empreintes de petites femmes aux orteils écartés, pour la plupart. Les autres étaient partielles, des talons et des pointes, qui révélaient la course affolée d'enfants. L'un avait marché dans un bol. Du coin de l'œil – la vision périphérique est plus efficace pour ce type d'observation –, je jaugeai les débris ensanglantés et une image vint se surimposer aux taches rouges : *C'est l'aube, les villageois sortent de chez eux. L'air est saturé d'humidité et du cri muet des avions de chasse. Alors que les Vampire larguent les bombes, celui à qui appartient ce sang ne peut pas s'empêcher de lever les yeux afin de voir ce qui va lui tomber dessus. Une déflagration déchirante, la peau qui part en lambeaux, la conscience qui s'évanouit, les os à vif ; l'agonie.*

La voix de Bongi résonna derrière moi.

— Gordon, tu ne crois pas nous avoir suffisamment porté la poisse avec ta manie de lire dans le sang ?

— Weatherhead a eu la poisse qu'il méritait, répondis-je.

Un œuf dur roula sous les restes d'une clôture – non, pas un œuf, une balle de golf. Un étrange cortège avançait sur cette terre désolée ; le major Sowers tenant un carré d'herbe artificielle, suivi par un soldat chargé des clubs de golf, et, fermant la marche, un perroquet qui sautillait et jurait en espagnol. Je reconnus le major grâce à sa photo parue dans l'*Umtali Times* sous le titre : « Un acteur se trouve un nouveau rôle en traquant les terroristes ». D'après l'article, il avait fait partie du Théâtre Rep à Salisbury.

— Vous êtes sur mon fairway, dit Sowers en ignorant mon salut.

Il était entièrement vêtu de rouge, des bottes au béret.

Le caddy était sans grade. Comme Bongi et moi, il portait le béret sable des éclaireurs. Il avait les tempes grisonnantes, il semblait un peu vieux pour cette mascarade. Je lus son nom, cousu sur sa poche de poitrine : *Foote.* Foote fit signe au conducteur du bulldozer d'éteindre sa machine. Le major Sowers déposa son herbe artificielle sous sa balle, Foote choisit un fer et le lui tendit. Le major accepta le club, fit face à la balle. Je n'étais jamais allé au théâtre mais ces deux-là donnaient le sentiment de se plier à un rituel factice, de ceux qui, j'imagine, existent entre des acteurs qui jouent depuis trop longtemps la même pièce. Le major Sowers envoya la balle voler en direction d'un drapeau qui flottait au loin vers la rive. Foote fit un signe au bulldozer et le véhicule se remit en marche, crachant sa fumée. « *Chupa mi pinga*[1] », railla le perroquet qui s'était couché sur l'herbe.

Le major nous observa, Bongi et moi, puis se tourna vers Foote.

— Ce sont eux, les hommes qui traquaient ce Zorro ?

— Le camarade Zorro, précisa le caddy, ce qui me fit tressaillir.

— Quel nom ridicule, maugréa Sowers.

---

1. Suce-moi la bite. *(N.d.T.)*

— Les snipers terroristes se voient en superhéros, expliqua Foote. Le camarade Tarzan, le camarade James Bond, le camarade Batman, et je ne sais quoi d'autre.

— Quand bien même, dit le major qui, passant à autre chose, scruta le lointain en plissant les yeux. On n'y voit rien du tout.

— Je vais demander aux ingénieurs de verser de l'essence dans la rivière, dit Foote en déposant les clubs à mes pieds avant de s'éloigner.

Sowers se tourna vers moi.

— C'est vous, le devin ?

Bongi frissonna. La simple mention du don qui m'avait été attribué à la naissance le rendait nerveux. Le major traversa le fairway aride, ses vêtements rouges virant au violet dans la nuit ; Bongi et le perroquet lui emboîtèrent le pas. Ramassant les clubs, je les suivis à mon tour. Derrière moi, le bulldozer poussait les chèvres carbonisées dans un trou.

Le major Sowers se retourna.

— Vous n'êtes que deux. Quand je demande une équipe de pisteurs, sergent Gordon, j'en attends quatre.

— On vient de perdre un homme, dis-je, regrettant aussitôt mes mots.

Bongi me lança un regard meurtrier alors que j'alignais les excuses : il nous manquait un homme au départ ; Weatherhead aurait dû faire plus attention à lui au lieu de passer son temps à lire ; l'homme que nous traquions possédait des aptitudes surnaturelles ; mes dons de divination par le sang nous avaient porté malheur. Mais le major Sowers ne voulut pas savoir comment nous avions perdu Weatherhead et préféra demander à Bongi de courir vers le drapeau qui signalait le trou.

— Votre homme est fiable ? me demanda-t-il quand mon ailier fut suffisamment loin.

Je haussai les épaules. Le major s'essuya le front.

— Si vous ne le savez pas, vous ne pouvez pas lui faire confiance. Foote va devoir venir avec vous. C'est un homme bien. Il connaît les bases du pistage. Et je suis sûr qu'on peut en menacer un autre pour faire le quatrième.

— Qui cherche-t-on ? demandai-je, craignant la réponse.

Le major me regarda comme si j'étais idiot.

— Foote vous expliquera ça en chemin.

Comme s'il avait été convoqué à la troisième évocation de son nom, l'aide de camp surgit de l'obscurité. Bongi était accroupi près du fanion, désormais éclairé par la rivière en feu, attendant d'être touché par une balle de sniper ou de golf. Le major Sowers exécuta un chip sur le sol dur qu'il avait choisi pour green et, en deux putts, mit la balle dans le trou. « *Jou ma se poes*[1] », dit le perroquet, qui était passé à l'afrikaans.

Sowers frappa l'animal de sa botte rouge.

— Cette racaille m'enterrera, grommela-t-il.

Le perroquet lui répondit en claquant du bec.

— Il appartenait à mon père, et à son propre père, que ce dernier soit maudit. Il a acheté cette bestiole dans un bordel du Cap, dit-il en me tendant son putter. Il fait trop sombre. Foote, on baisse le rideau.

Sowers scruta la nuit par-delà la rivière en feu.

— La guerre a quelque chose de mélodramatique, reprit-il face à un public invisible. Les terroristes le savent. C'est pourquoi ils vont sans doute gagner.

1. La chatte de ta mère. *(N.d.T.)*

Le major s'éloigna vers la tente octogonale qui lui servait de dressing, suivi de son perroquet qui jurait en sautillant.

— Quel vieux salaud, gronda Foote.

Dès que le major fut parti, le terrain de golf cessa d'exister.

— Pourquoi porte-t-il des habits rouges ? m'étonnai-je.

Foote se tourna vers l'ennemi, de l'autre côté de la rivière.

— Leurs chamans ne supportent pas le sang – selon eux, la couleur rouge empêcherait même les charbons d'être attisés, expliqua-t-il, puis il sortit une flasque du sac de golf et en prit une rasade. C'est le genre de bêtises auxquelles on doit s'attendre dans le coin.

Il s'essuya la bouche du revers de la main avant de me proposer à boire.

— Tu as déjà entendu parler des chasseurs d'hippopotames de la rivière Innommable ?

— Non, mentis-je, et Bongi s'agita nerveusement.

Foote me regardait boire son scotch.

— Par ici, les gens en font des cauchemars. Une bande redoutable, à l'évidence. Ce serait plus judicieux de l'avoir à nos côtés.

Des points lumineux apparurent de l'autre côté du Zambèze. Des bribes de musique flottaient au-dessus de la rive opposée, des notes de piano mêlées à des voix.

— Les terroristes sont bel et bien réveillés, jeune sergent, dit Foote en imitant le major. Ils en ont pour toute la nuit. J'espère que vous avez le sommeil lourd. Nous partirons à l'aube, les traces seront encore fraîches.

— Les traces de qui ? demandai-je.

Foote plissa les yeux.

— Il paraît que votre dernière mission était un vrai fiasco, répondit-il. Dernière chance, sergent. Ne vous plantez pas.

Il nous abandonna, Bongi et moi, sous un maigre croissant de lune. Le feu sur la rivière s'était éteint. Je ne distinguais plus les mufles des hippopotames près de la rive opposée, mais les souffles d'air intermittents confirmaient leur présence. Nous nous assîmes en tailleur, chacun avec son paquet de cigarettes, sa canette de Coca vide, son Zippo. Je frottai le briquet, m'enivrant de l'odeur de l'essence. Pour fumer la nuit, il fallait cacher le bout incandescent de la cigarette dans une canette vide, de peur qu'un sniper ne le vise et ne nous éclate la bouche. Quand une mine explosa à la périphérie du village, nous nous jetâmes à terre, armes dégainées. Mais rien à voir. Un porc-épic, sans doute, en quête d'os à ronger.

Le sol était encore brûlant à cause du napalm, aussi nous revînmes au kraal afin de nous allonger sur la terre retournée, plus fraîche. Il y avait d'autres zones de terre meuble çà et là dans le village mais, ne sachant pas ce qu'elles dissimulaient, je choisis de dormir au-dessus des chèvres carbonisées. Je fermai les yeux et fis le même rêve que les trois nuits précédentes : *Une mission de pistage, Bongi sur mon flanc droit, Weatherhead à ma gauche, le nez dans son livre. Dans cette équipe de trois, je joue à la fois le rôle de chef et de guetteur. Nous poursuivons le camarade Zorro, un sniper responsable de onze morts. Bongi et moi ignorons les recommandations et nous rapprochons suffisamment pour parler.*

— J'ai entendu dire que le camarade Zorro convoque la brume afin de se déplacer sans être vu, déclare Bongi.

— Avant la guerre, dis-je, le camarade Zorro gagnait sa vie en tant qu'étrangleur et fournissait les sorciers en organes humains.

— Les ancêtres du camarade Zorro l'aident à bien viser.

— *Un sorcier maudit chacune de ses balles.*

Nous sommes pareils à des enfants, racontant des histoires si effrayantes que nous en piquons des fous rires. Les traces sont vieilles, le temps a effacé les empreintes du camarade Zorro, et je ne prends pas la peine de dire à Weatherhead de ranger son livre ni de faire attention. La brume s'élève au-dessus de la rivière.

Quand le rêve s'achève, Weatherhead est en vie, Bongi toujours mon ami, et le camarade Zorro patiente dans la brume.

À la caserne, une histoire circulait à propos d'un de nos chefs de commando qui avait ordonné la fouille d'une zone autour d'un petit affluent du Zambèze. Ses éclaireurs trouvèrent des empreintes de pas près de la rive mais aucune autre trace de vie. La troisième nuit, une patrouille ramena un homme nu, entièrement recouvert de boue. Tout en enroulant sa ceinture autour de son poing, le chef du commando exigea qu'on les laisse seuls dans sa tente. Une sentinelle perçut le cinglement du cuir sur la peau.

L'interrogatoire fut interrompu par des tirs. Des dizaines d'hippopotames s'étaient extirpés de la rivière et se ruaient vers le camp. Les mâles rugirent quand les balles des sentinelles percutèrent leur mufle, mais ils poursuivirent, repoussant les soldats, leur crainte des hommes et de la terre ferme balayée par ce qui les avait poussés à quitter la rivière. Terrorisés, les éclaireurs pointèrent leur fusil vers l'eau opaque. Les grenouilles s'étaient tues. Des lambeaux de rayons de lune parsemaient la rivière. Pour autant, le chef du commando pouvait voir à la surface de l'eau une multitude de points noirs qui semblaient absorber les reflets lumineux. Quand ses yeux furent habitués à l'obscurité, il comprit que les points étaient des visages recouverts de boue. La rivière elle-même sembla souffler un grand coup – *tchou !* – lorsque des centaines de chasseurs d'hippopotames rejetèrent l'eau par les narines. D'une voix d'autant plus étrange qu'elle était calme, le chef du commando ordonna à ses hommes d'aller chercher le prisonnier sous sa tente et de le balancer à la rivière. Le corps inerte coula rapidement, comme si un courant l'avait aspiré, et tous les visages glissèrent sous la surface.

Ensuite, rien ne put persuader le chef du commando de retourner dans le bush. Il accepta d'être dégradé et transféré dans notre unité comme adjudant. Il n'éteignait plus jamais sa lampe torche et ne s'aventurait hors de sa tente que pour aller aux latrines.

Le soir de la mort de Weatherhead, Bongi se rendit auprès de l'adjudant, le salua brièvement et demanda à être muté dans une autre patrouille d'éclaireurs.

— Pour quelle raison ? demanda l'ex-commando.

Bongi hésita.

— Monsieur, mon chef de patrouille est un sorcier. Je l'ai vu chercher des présages dans le sang de Weatherhead.

N'importe quel officier aurait sans doute sermonné Bongi au prétexte qu'il racontait des foutaises, mais l'adjudant l'incita à poursuivre.

— Dis-moi ce que ton chef de patrouille a lu dans le sang.

— Monsieur, bredouilla Bongi, il affirme avoir vu la mort se répandre dans la rivière.

L'adjudant renvoya mon éclaireur et me convoqua dans sa tente, dont je n'étais pas loin puisque j'espionnais Bongi.

— Votre ailier dit que vous lisez dans le sang.

Il se coupa le doigt avec un coupe-papier, dénudant les os et les tendons. Le sang coulait sur le bureau.

— Lisez, sergent.

Le sang frais est une surface réfléchissante et je n'avais pas envie de me pencher sur mon propre destin. Par conséquent, j'abordai le sang de biais alors qu'il imbibait un papier carbone, et déclarai : *Je vous vois enfant, debout, au-dessus de votre mère étendue par terre. Il y a du café renversé sur le sol de la cuisine. Votre père vous pousse sur le côté, s'agenouille et pose sa tête sur la poitrine de son épouse.*

— Non, non ! s'écria l'adjudant en frappant la tache de sang du plat de la main, ce qui détruisit l'image aussitôt. Je me fiche de ça !

Il s'ouvrit un deuxième doigt et je fus témoin d'un autre épisode de sa vie, cette fois datant de l'adolescence : *Vous êtes dans la cour d'une école, vous glissez votre main vers la poche d'un condisciple plus jeune. Je crois que vous lui volez de l'argent.*

Ébranlé, l'adjudant se coupa l'annulaire, de l'ongle à la jointure. Mais il allait se heurter aux limites de mon don. Le sang révèle des images au hasard, sans chronologie, des moments cristallins issus du passé ou de l'avenir. L'adjudant enfouit son visage dans ses mains.

— C'est à propos du prisonnier que vous avez interrogé ? demandai-je.

Il me regarda. Ses doigts blessés avaient laissé trois traces sur sa joue.

— Il m'est difficile d'expliquer ce qui s'est passé cette nuit-là sous ma tente. Je relevais le prisonnier quand les lumières se sont éteintes. J'ai senti son souffle sur mon visage et il m'a murmuré : « Tremble devant le Tisseur de l'univers, l'Artisan du monde. » J'ai entendu les remous de la rivière, le coassement des grenouilles. J'ai vu une mouche marcher sur mon poignet. Quelques instants à peine se sont écoulés et, pourtant, cela m'a paru insupportable. Dieu était-Il dans la tente ? Remplissait-Il l'obscurité ?

L'adjudant chercha à essuyer le sang de son visage mais ne fit qu'empirer les choses. Le bureau était éclairé d'une lumière crue, et il s'évanouit, relâchant l'étreinte vermillon sur son coupe-papier. Cette scène se déroula deux jours avant que les avions Vampire déferlent et immolent le village par le feu.

*

Je fus réveillé par le *tchac tchac* des pales d'hélicoptère. Foote alluma un feu de détresse sur la rive et un Alouette surgit d'un nuage de brume avant de se poser. Le passager qui débarqua, les traits du visage floutés par les rayons rasants du soleil levant, suivit l'aide de camp dans la tente du major.

Bongi tournait les pages de *L'Être et le Néant* à la lumière de l'aube, me rappelant Weatherhead. Lire le livre d'un mort portait malheur. Bongi allait y passer au cours de cette mission, c'était certain.

— Tu ne sais même pas lire, lui dis-je, après avoir cherché la phrase la plus cruelle à lui asséner.

— Pas la peine de connaître les mots pour croire à ce qu'il y a dans ce livre, répondit-il.

Bongi avala du lait en poudre conservé dans une pochette en aluminium et contempla les pages du livre. Dans la vie civile, il préparait les repas du Club portugais. Comme il était incapable de déchiffrer les recettes, il cuisinait à l'odorat, humant les effluves des préparations pour décider du temps de cuisson d'une perdrix ou de la quantité d'épices à ajouter dans une sauce. Devenu éclaireur, Bongi avait tenté de se raccrocher à son statut de cuisinier, attendrissant et faisant mariner les viandes plus que douteuses rapportées du bush par Weatherhead. Mais son odorat surdéveloppé déclina quand nous commençâmes à inhaler du butane et, désormais, s'il reniflait au-dessus du four, c'était juste pour éviter de couler du nez dans la sauce. Tous ses plats avaient un goût de restes réchauffés et il avait fini par opter pour des rations militaires déshydratées.

J'entendis une voix derrière moi.

— Il y a quelqu'un dont j'aimerais que vous fassiez la connaissance.

C'était Foote qui parlait. Bongi et moi le suivîmes sous la tente où le passager de l'hélicoptère était accroupi et examinait des cordes tressées. Il était pieds nus, le bas de son pantalon roulé sur les chevilles et un fusil à lunette en bandoulière. Trois paires de rangers pendaient à son cou – une ruse de terroriste, changer de chaussures permettait de brouiller les pistes. Le perroquet faisait les cent pas à son côté.

— *Poephol*[1], cracha-t-il.

Le major Sowers se tenait devant le miroir et m'observait dans son reflet.

— Bonjour, jeune sergent.

Il avait échangé son habit rouge pour un treillis et une veste fraîchement repassée. Ses joues brillaient – était-ce du maquillage ?

— Voici votre nouvel ailier gauche, le camarade Zorro.

1. Trouduc. *(N.d.T.)*

Bongi se rapprocha suffisamment de moi pour que je sente son haleine chargée de lait en poudre.

— Voilà à quoi mènent tes diableries, siffla-t-il.

Foote regarda le major Sowers.

— Vous n'aviez pas des choses à faire ?

À la façon dont Foote prononça ces mots – et à la façon dont le major obéit –, je compris que l'aide de camp dominait son chef.

— Si, bien sûr.

Sowers sortit de la tente, faisant crisser son uniforme amidonné, suivi de son perroquet qui crachait toujours des obscénités. J'en conclus que Foote gardait le major à ses côtés pour leurrer les snipers.

— Nous avons arrêté Zorro peu de temps après qu'il a tué votre ailier, expliqua Foote. Il est passé de notre côté.

Le camarade Zorro fixait du regard ses propres mains d'étrangleur. Qu'un terroriste change de camp n'était pas rare, mais qu'il remplace l'ailier qu'il avait tué me paraissait tout bonnement monstrueux.

— Pourquoi lui ? demandai-je d'une voix que je ne reconnaissais plus.

— C'est toi le devin. À toi de me le dire.

Le soleil levant s'infiltrait désormais dans la tente.

— Ramassez vos affaires, les gars, ordonna Foote. On part recruter des chasseurs d'hippopotames.

Nous retrouvâmes leur trace autour d'un village rasé. L'un des terroristes était une femme, à en juger par la proximité des pas et par le sable maculé – orteils et coussinets, pas de talons –, donc une personne qui urinait accroupie. L'autre était un homme. Ils avaient uriné ensemble, l'un à côté de l'autre. Des intimes. C'était ce que j'aimais dans le travail de pisteur : son caractère factuel. Les empreintes suivaient le Zambèze, ne s'écartant jamais de plus d'une centaine de mètres de la rive. Foote s'agenouilla à côté de moi, le major Sowers derrière, Bongi un peu plus loin à droite et le camarade Zorro à ma gauche, tout près. L'urine de l'homme était sombre.

— Reins endommagés, dis-je. Peut-être la malaria.

— Ou bien il s'est fait tabasser, fit valoir Foote.

Sowers s'éloigna ; il boudait parce que Foote lui avait demandé de porter la radio. Le camarade Zorro vint observer les empreintes.

— C'est vrai qu'un sorcier maudit tes balles ? lui demandai-je.

— Oui. Ces balles tuent l'esprit en plus du corps, me répondit-il, puis il me sourit. Pas de souci, je ne les gâcherai pas pour toi. Je les réserve à mes ennemis.

La chaleur ne nous laissa aucun répit malgré le vent de l'après-midi. Les hippopotames sortirent de l'eau afin de brouter sur la rive. À notre passage, ils dressèrent la tête. Nous dépassâmes une station de relais radio. L'un des opérateurs brandit son fusil FN et me visa en plaisantant.

*

Les deux ailiers me flanquaient, s'éloignant en terrain découvert et revenant à mes côtés quand les buissons s'épaississaient. Mais toujours visibles. Nous suivîmes les traces pendant deux jours, vers le nord-est. Au fil de la marche, les empreintes de l'homme se rapprochaient de celles de la femme, son pas devenait plus pesant.

— Il s'appuie sur elle, dis-je à Foote. Quand est-ce que vous allez m'expliquer qui on suit ? Si vous ne me dites rien, je risque de rater quelque chose d'important.

Foote m'examina. Quand il détourna le regard, j'en profitai pour sniffer du butane.

— Nous poursuivons le dieu des chasseurs d'hippopotames, dit-il enfin. Son Altesse céleste s'est trouvée prise au piège lors d'un raid mené par un de nos commandos il y a quelques semaines. L'homme censé l'interroger a pris peur et a balancé son cadavre dans le fleuve. Et voilà qu'il a resurgi sur l'autre rive et qu'il fait son cirque pour les terroristes.

— Son cirque ?

— Il entre dans une sorte de transe, affirme qu'il est le dieu des chasseurs d'hippopotames, Tisseur du cosmos, etc. Les terroristes le pensent fou. Personne ne le croit sauf une femme, une sniper, qui l'a aidé à s'enfuir et qui serait sa maîtresse.

— Comment savez-vous tout ça ?

— Le camarade Zorro nous a tout raconté lors de ses aveux. Apparemment, cette femme est son épouse.

La distance entre les empreintes se réduisait de plus en plus. Il y avait des baies dans les selles des fuyards. Ils commençaient à faiblir. Les effets du butane se dissipèrent et la réalité matérielle de mon corps se fit sentir. Je débattais intérieurement en marchant, me demandant si le camarade Zorro s'était volontairement laissé prendre afin que nous l'aidions à retrouver sa femme adultère.

Cette nuit-là, nous bivouaquâmes dans le village d'une unijambiste qui nous prépara un repas de haricots et de bouillie de maïs. Les champs alentour étaient truffés de mines mais la nécessité poussait les paysannes à récolter les céréales, les yeux rivés au sol. Autour du feu, les enfants assommaient des termites du plat de la main et se léchaient ensuite les paumes. Des amas blancs et granuleux tachaient la cornée de leurs yeux.

— Des taches de Bitot, dit Foote. Parce qu'ils mangent trop de bouillie de maïs et pas assez d'autres choses. Ça détruit le nerf optique.

Ils voyaient encore mais l'image ne parvenait pas jusqu'à leur cerveau. Les enfants se précipitèrent sur Foote, qui leur distribua en riant des rations de bœuf extraites de son sac.

Je pris le premier tour de garde, luttant contre la torpeur pour ne rien manquer dans l'obscurité. Le truc, quand on est soldat, ce qu'on ne raconte jamais, c'est l'immobilisme qui règne parfois, la lenteur de tout.

— Plus on regarde une chose, moins on la voit, me dit le camarade Zorro.

J'ouvris ma flasque de butane et aspirai fortement, guettant l'explosion dans mes oreilles.

— Quel genre de choses ? ai-je dû demander.

Souvent, quand je sniffe, j'entends seulement les mots prononcés par les autres, rarement les miens.

— Qui sait ? Des formes, des mouvements, des lumières. Des choses trop rapides pour être vues. Des choses secrètes qui n'ont rien à faire dans ce monde.

Cette nuit-là, je fis un rêve au butane : *Je suis agenouillé au-dessus de Weatherhead, essayant de recouvrir, avec la fine enveloppe de cellophane d'un paquet de cigarettes, le trou provoqué par la balle dans son torse, essayant de maintenir son souffle à l'intérieur de son corps. La brume s'est dispersée et le soleil change le sang en miroir. Quand je lui dis que je suis désolé, il me regarde et me répond que ça n'a pas d'importance.*

Il y avait du vomi par terre devant les empreintes de la femme. J'en frottai un peu entre mes doigts, le reniflai. Elle avait avalé une décoction de digitale pour apaiser son estomac et de rue abortive.

— Je crois qu'elle est enceinte, signalai-je à Foote.

Le camarade Zorro se tenait au-dessus de moi. Il fit tourner deux balles entre son pouce et son index.

— Félicitations, vieille saucisse ! dit Foote au camarade Zorro. Tu vas être le père d'un enfant dieu sautilleur.

Un éclat de colère traversa le regard du camarade Zorro, qui reprit sa position à gauche.

— Est-ce qu'on peut faire une pause pour le déjeuner ? demanda le major Sowers. Cette fichue radio est très lourde.

— Pas le temps, répondit Foote.

Les contours des empreintes étaient lisses, récents.

— On se rapproche. Si on attrape leur dieu, on attrape tous les chasseurs d'hippopotames.

Nous suivîmes les traces vers le sud, le long d'un affluent. Des baobabs tordus et anciens parsemaient la plaine.

— Viens voir, me dit le camarade Zorro. Voici l'embouchure de la rivière Innommable. Il y a longtemps, des chasseurs d'hippopotames ont noyé ici des marchands d'esclaves arabes, entravés par leurs propres chaînes. Mets ta main dans l'eau. Elle est plus froide que le Zambèze.

Je refusai.

Le soleil tapait fort et, à la mi-journée, le major Sowers grommelait sans arrêt.

Le perroquet, désormais silencieux, s'était posté sur la radio que l'acteur portait dans le dos. Foote tenta de remonter le moral de Sowers.

— Imaginez l'histoire que ça va donner. Peut-être que vous pourrez jouer votre propre rôle dans un film. Le rôle d'une vie !

Sowers sembla requinqué.

— Allez, on sourit pour les caméras ! lança Foote.

Le major Sowers souriait de toutes ses dents quand le sniper lui tira dessus. Comme il s'était tourné vers Foote, la balle pénétra selon un angle droit, lui éclatant la mâchoire mais épargnant le reste de son corps. Le camarade Zorro riposta et j'entendis un cri s'élever des hautes herbes. Bongi fouilla les environs et nous découvrîmes un homme nu dont la tête reposait entre les cuisses d'une femme. Derrière son masque de boue, celui-ci me lança un regard haineux.

— Tremblez devant le Tisseur de l'univers, dit-il en me fixant de ses yeux pâles, Sculpteur du monde, Maître de toutes les langues, Conteur de toutes les histoires, Origine de tous les mots, Père de toutes choses !

Foote comprima la gorge du prisonnier avec un chiffon afin de stopper l'hémorragie, tandis que la femme lui essuyait le front et les joues avec le bas de son tee-shirt. Je me penchai, espérant obtenir un aperçu de la face cachée de Dieu. La boue s'effrita, révélant des bajoues tombantes, des lèvres minces et une peau tachetée.

— Vite, me dit Foote en me tendant le chiffon trempé. Lis son sang.

Je m'accroupis, évitant de regarder le sang en face.

À l'intérieur, je vois des générations et des générations de chasseurs d'hippopotames nus, qui survivent à la force de leurs bras, leur existence étant la même depuis la Création, quand Dieu sculpta le premier homme et la première femme avec la boue de la rivière Innommable. Lors des inondations, les femmes hululent à la mémoire de leurs enfants noyés. Quand les pluies cessent, les enfants épargnés jouent à cache-cache sous l'eau, soufflent par petits jets et se laissent couler au fond de la rivière pour voir qui retiendra sa respiration le plus longtemps. En période de sécheresse, la rivière Innommable se tarit, les femmes utilisent des bouts de bois pour séparer la boue de l'eau potable, les hippopotames s'en vont et il ne reste rien à manger. Je vois des chasseurs debout dans la rivière, de l'eau jusqu'à la taille, frappant dans leurs mains et vociférant tandis qu'ils poussent un hippopotame sur la berge. Je vois des enfants lui briser les pattes de devant à coups de matraque, l'obliger à s'agenouiller devant Dieu, puis l'éventrer, se nicher à l'intérieur de sa dépouille et se barbouiller le visage et le torse de son sang. Guidés par leur dieu, ils entrent ensuite dans un village afin d'attirer ses habitants dans le fleuve, de les embrasser sous la surface de l'eau, de caresser leur tête pour qu'ils respirent le fleuve. Le fleuve peine à contenir tous les chasseurs d'hippopotames. Il ne peut contenir une personne de plus. Je vois un frère de l'ordre de Saint-Augustin qui s'efforce de survivre sur la rive. Ses porteurs l'ont abandonné. À la fin de chaque journée, il s'endort sur sa bible. Une nuit, des ombres surgissent du fleuve, l'attrapent, le tirent violemment sous l'eau. Ils lui caressent la tête tandis qu'il agite les bras. Le moine se réveille dans une forêt, à moitié mort de faim, le corps couvert de parasites. Fébrile, il se redresse en présence d'un dieu plus proche et plus incarné que celui de sa bible. Le moine s'agenouille devant le dieu des chasseurs d'hippopotames et demande, d'une voix tremblante : « Comment puis-je Vous servir, Seigneur ? »

Je me détourne du liquide épais qui vire au marron.

— Cet homme n'est pas le dieu des chasseurs d'hippopotames, dis-je à Foote. C'est son poète louangeur.

Au coucher du soleil, un Alouette déposa un dentiste qui répara la mâchoire du major Sowers, ponçant sans anesthésiant le reste des dents brisées et les remplaçant par de la résine grise. Dans l'air flottait une odeur de nerfs brûlés et d'émail.

Nous fîmes monter le panégyriste du dieu des chasseurs d'hippopotames dans l'hélicoptère ; il avait le souffle court, sifflant. Foote le secoua légèrement avant de lâcher :

— Il ne nous sert à rien s'il n'est pas leur dieu.

L'Alouette monta dans les airs et pivota en direction de l'horizon, emportant le poète loin de son dieu.

Foote questionna la femme du camarade Zorro, adossée à un arbre, pieds et mains liés. Pendant l'interrogatoire, elle resta le visage impassible. Le camarade Zorro avait insisté pour être présent afin de s'assurer que sa femme enceinte ne serait pas passée à tabac. Elle se faisait appeler camarade Wonder Woman, elle officiait comme sniper dans la guerre de Libération. C'était la femme du camarade Zorro. Voilà toute l'information que Foote put lui arracher.

Cette nuit-là, Bongi monta la garde à la lisière du camp, face à la rivière Innommable. Le major Sowers pleurait tout bas. Foote tripotait la radio. Le couple de snipers discutait calmement. Le truc, pour espionner une conversation sans se faire prendre, c'est de respirer faiblement et de poser son regard à la source des mots.

— Est-ce que le bébé va bien ? demanda le camarade Zorro.

Silence.

— Pourquoi tu ne m'as pas tué ? reprit le camarade Zorro. J'étais plus facile à atteindre que le major Sowers.

— Tu m'as appris à viser d'abord les officiers, répondit-elle avec humour, ou le vent aura modifié ma trajectoire.

— D'autres éléments peuvent dévier un tir. À propos du dernier homme que j'ai tué, juste avant que je n'appuie sur la détente, j'ai vu son âme sortir de son corps. La balle l'a touché loin du cœur, il est mort lentement et en souffrant.

Encore un silence.

— C'est ça, notre chef-d'œuvre ? demanda la camarade Wonder Woman.

— Tu préfères coucher avec un fou ?

— Il affirmait être une voix dans la nature, traçant un chemin vers le Seigneur.

J'écoutai geindre le major Sowers jusqu'à ce que Foote lui ordonne de la fermer. Les soldats n'ont aucune sympathie pour les blessés. Bongi interpella l'acteur depuis son poste.

— Tu sais pourquoi la balle t'a raté ? lui dit-il. Dieu te réserve pour autre chose.

— *Doos*[1], railla le perroquet.

Je sniffai du butane, écoutai les engoulevents et imaginai l'âme de Weatherhead sortant de son corps juste avant que le camarade Zorro n'appuie sur la détente.

*

Je me réveillai le lendemain matin cerné par la brume. Le camarade Zorro et la camarade Wonder Woman étaient partis, abandonnant leurs uniformes et leurs armes sur la berge du fleuve ; sans doute leurs rôles de snipers étaient-ils incompatibles avec l'image que chacun se faisait de l'autre.

1. Foufoune. *(N.d.T.)*

Je sortis une balle maudite du fusil de Zorro et la mis dans ma poche.

Nous arrivâmes à un village vide où brûlait encore un foyer au-dessus duquel chauffait une marmite. Les habitants avaient dû être surpris en train de brasser de la bière. Je désenclenchai la sécurité de mon fusil. Je comptai quatre maisons ; les toits avaient été chaumés récemment, l'enduit sur les murs était frais, la terre retournée, prête à être ensemencée. Je passai devant des bols renversés, dont la bouillie de maïs était recouverte de fourmis.

Des empreintes de pas parsemaient la rive boueuse. Les chasseurs d'hippopotames laissaient des traces, par conséquent ils existaient – l'ontologie du pisteur. J'examinai l'endroit où ils avaient poussé les villageois dans le fleuve. Il y avait quelque chose de dérangeant dans les empreintes des chasseurs d'hippopotames. La plupart des guerriers étaient des femmes et des enfants.

— Remarquable, dit Foote, les yeux étincelants.

Au bout de quelques heures de marche, nous parvînmes devant une vaste canopée d'arbres tordus. Foote se tourna vers moi.

— Attends sur cette butte avec la radio, sergent. Si on ne ressort pas de là au matin, prends le micro et demande que l'enfer leur pleuve dessus.

Le major Sowers offrit à Bongi un sourire abîmé.

— C'est pour ça que Dieu m'a préservé ?

Il ajusta son béret selon un angle aigu, ramassa son oiseau obscène et suivit Foote comme s'il entrait en scène. Bongi alluma une Madison et leur emboîta le pas.

— Ils sont fous, lui dis-je.

L'ailier droit se retourna, haussa les épaules et me lança sa cigarette allumée. Le temps qu'il disparaisse dans le sous-bois, j'avais déjà récupéré le mégot.

J'avais besoin de m'anéantir. Je sniffai et m'endormis d'un sommeil troublé.

Dans mon rêve au butane, *je m'agenouille au-dessus du corps sans vie de Weatherhead et recueille son sang entre mes mains. Cette fois, je regarde directement dans le miroir de sang, je lis mon propre avenir. Des milliers de chasseurs d'hippopotames surgissent de l'eau cuivrée de la rivière Innommable ; de jeunes hommes avec leurs mains pour seule arme, des femmes-soldats avec des bébés accrochés au dos, des enfants brandissant des matraques constellées de dents d'hippopotames, les yeux brillants sous leur masque de boue. Parmi les vivants se meuvent des esprits anciens, qui transmettent férocité et force à leurs descendants. Dieu se dresse au-dessus de l'eau, les galvanisant. À l'avant-garde, je suis son nouveau poète louangeur, et mon visage est déformé par l'extase. Les mots emplissent mes poumons comme de l'eau trouble. « Tremblez devant le dieu de la rivière Innommable ! » je crie.*

Je me redressai, geignant de terreur, incapable de chasser les images de mon avenir. La position du soleil n'avait pas changé. J'aperçus des centaines de silhouettes sombres s'agiter sous l'eau boueuse en direction des arbres tordus parmi lesquels mes camarades avaient disparu. Bientôt, les silhouettes me mèneraient de force devant leur dieu terrible qui dévorerait mon esprit. C'était écrit dans le sang de Weatherhead. Un vague espoir monta en moi quand mes yeux se posèrent sur la radio. Foote m'avait laissé le moyen d'échapper à ce destin. J'attrapai le micro et donnai les coordonnées pour le raid aérien.

Le soleil de fin d'après-midi semblait comme suspendu dans les airs, au-dessus de la plaine inondable. Des formes argentées, semblables à des chauves-souris, apparurent au loin ; un escadron de Vampire pleins de bombes et de roquettes. Sous chaque aile, un lion brandissant une défense en ivoire figurait dans un médaillon. Les rayons du soleil ricochèrent sur les réservoirs en aluminium au moment où les avions larguèrent leur chargement, assommant la terre, forçant la rivière à couler dans l'autre sens, embrasant la forêt dans une explosion de napalm. Je sniffai mon butane et attendis que ça rugisse dans ma tête.

Le gang du Léopard

Mai 1973

Quand la guerre de Libération atteignit notre vallée, j'étais en train d'embrasser Madota derrière une pile de sacs de sable et de glisser ma main sous le chemisier de son uniforme, touchant pour la première fois son soutien-gorge en coton. La guerre ne déboula pas au volant d'une jeep ; pare-chocs, capots et marchepieds débordants de rebelles venus nous arracher à nos lits pour nous abattre dans nos propriétés, à la lumière agressive de nos propres éclairages de surveillance – cette histoire-là serait pour plus tard –, elle s'annonça simplement par un grognement de chien, un cri de douleur et un instant de panique de Madota, qui se releva et reboutonna son chemisier.

J'escaladai les sacs de sable et tombai sur un nouveau genre d'équilibrisme. Bien décidé à ne pas le lâcher, un soldat de la guérilla était suspendu à notre fil à linge, un pied coincé dans la gueule du chien de garde de mon père – un chien de Rhodésie qui tirait le rebelle par à-coups vers le sol. Comme les Forces de sécurité de Rhodésie traquaient les terroristes en suivant la trace de leurs semelles marquées du chiffre 8, l'intrus était pieds nus, ses rangers pendues à son cou. Les chaînons du collier de chien s'entrechoquaient chaque fois que l'animal secouait la tête, s'évertuant à arracher la cheville de sa victime. Un poète aurait pu voir dans la scène une figure du Christ inversée : le visage de l'homme écrasé contre le poteau, ses bras en croix le retenant à la barre transversale ; mais un garçon de quinze ans, décidé à perdre sa virginité, ne veut rien savoir de la poésie et je ne vis qu'un homme en train de hurler.

Derrière moi, Madota rentrait déjà sa blouse sous sa ceinture. J'avais passé une bonne heure à ouvrir son vêtement d'une seule main, le pouce et l'index tripotant les boutons en nacre, pendant que, de l'autre, je caressais les plis de sa jupe. Son chemisier béant avait révélé un renflement de peau sombre qui contrastait avec la blancheur javellisée de sa lingerie secrète et les deux anneaux en argent suspendus par une chaîne à son cou. À ce moment-là, nous avions tous deux compris qu'une nouvelle ligne venait d'être franchie, et que la prochaine fois que je la mènerais derrière les sacs de sable, il faudrait me sortir de son chemisier ouvert par les armes. Mon envie de prendre la virginité de Madota était semblable à la fonte d'un glacier : déterminée, lente et inexorable. J'entendais devenir un homme, par terre derrière les sacs de sable, avec Madota, et avant mon seizième anniversaire.

— Lâche-le, dis-je au chien en tirant sur le collier, mais il refusait de libérer le soldat rebelle.

Mon père avait acheté ce chien à un dresseur d'Umtali, un Afrikaner rougeaud qui donnait des coups de poing à ses animaux avant de les lancer sur un mannequin en mousse à la tête et aux mains foncées. Personne ne caressait ce chien, du moins sans appréhension, et Madota n'acceptait de venir chez nous que sous mon escorte.

C'était ce même chien qui avait empêché le chauffeur shona et son apprenti de déposer les sacs de sable devant notre porte comme prévu. Ils avaient préféré rester sur la plate-forme de leur camionnette, jetant les sacs de sable à terre et des coups d'œil inquiets au molosse qui arpentait les limites de notre propriété en montrant les crocs et en retroussant les babines. C'est aussitôt après que j'avais convaincu Madota de me suivre derrière les sacs de sable empilés au beau milieu du chemin, et c'est là que, pour la première fois, j'avais enfoui mon visage dans son cou, froissant son uniforme dans la poussière de cette fin d'après-midi, tandis qu'elle attrapait délicatement mes poignets, me retenant, me caressant.

— Lâche-le! ordonnai-je de nouveau, mais le dresseur n'avait jamais pris la peine d'apprendre à ses animaux à libérer le mannequin peint, et le chien ne desserra pas les crocs.

Je reculai, pointai mes pieds de l'index.

— Assis! lançai-je, et le chien lâcha enfin le terroriste pour venir s'asseoir docilement à mes pieds, ses yeux froids posés sur ma gorge.

Le guérillero descendit de son poteau en ménageant son pied blessé et nous observa, impassible. En moi, il dut voir un *murungu* pâle qui séduisait les filles shonas pour s'amuser et, en Madota, une fille du genre de celles qui font toujours les mauvais choix. Le rebelle se tenait courbé, il portait une barbe blanche, semblable à celle du père de Madota quand ce dernier était encore vivant, et elle baissa les paupières devant lui tout en époussetant l'arrière de sa jupe. Les Shonas sont un peuple soigneux, tout comme les vieilles sœurs de l'ordre désuet de Sainte-Agnès qui dirigeaient l'école et l'orphelinat pour filles indigènes avoisinant la réserve, et à la surveillance desquelles Madota parvenait parfois à échapper afin de me rejoindre derrière les sacs de sable en dépit de toutes les règles de la bienséance.

Le terroriste nous tourna le dos, puis boitilla en direction de la maison afin d'attendre l'arrivée de la police et son transfert en prison, avant son exécution. Madota avait posé sa main sur mon avant-bras et, sous cette légère pression, je devinai une prière silencieuse. Confier cet homme à nos forces de sécurité reviendrait à accepter l'idée qu'il se faisait de nous. Il existait depuis toujours un langage secret entre Madota et moi, qui passait par le contact de nos peaux, et que j'étais prompt à comprendre, sauf en matière de sexe.

— Non, par ici, dis-je au rebelle.

Je désignai la végétation dense derrière la maison comme un enfant qui agite une arme chargée, ou comme un délateur qui désigne le voisin avec lequel il vient de se disputer, d'un geste à la fois perfide et inconsidéré. Je comptais aider le terroriste parce que j'avais pitié de lui – de cet être usé, blessé, vieux, désorienté –, et parce que tout bon chrétien aurait agi ainsi. À moins que ce ne fût parce que j'en avais marre de l'oppression et que j'aimais Madota, ou pour toute autre raison pourrie, de celles qui apparaissent au début de ce type d'histoires, quand tout le monde se cherche encore des excuses. Je passai le bras du rebelle par-dessus mes épaules afin de le soutenir.

— Je connais un endroit où tu peux te cacher, lui dis-je, et c'est de cette manière que je pénétrai dans l'histoire qui avait si maladroitement surgi dans mon jardin.

Le vieux guérillero me regarda avec méfiance, presque agacé à l'idée de devoir réviser son jugement sur moi. Je retins mon souffle quand Madota me serra la main, ouvrant la première brèche dans la solidarité entre les Blancs de notre pays – ce ciment qui unissait la Rhodésie –, et l'histoire marqua alors une pause afin de digérer l'énormité de ce moment.

Ce soir-là, Madota escalada la fenêtre du dortoir plein à craquer qu'elle partageait avec soixante-quatre autres filles shonas, toutes pupilles de l'Église, et s'enfuit de l'ordre de Sainte-Agnès. Elle ralentit en arrivant devant un vieil acajou dont les racines avaient soulevé un pan de briques de l'enceinte du couvent – un endroit, d'après la légende, où les nonnes, dans leur jeunesse, donnaient rendez-vous à leurs amants shonas. Madota enjamba avec respect le tas de racines noueuses et de maçonnerie brisée. C'était un arbre sacré.

Elle traversa une zone désolée qui, certains jours de l'année, était décorée anonymement de lys ou d'orchidées cultivés dans la serre des nonnes, et descendit la colline en courant. Pieds nus, elle trébuchait dans l'obscurité et les deux alliances tintaient autour de son cou. Elle parvint à l'appentis du jardin, disposant seulement de son uniforme de rechange, d'une bible illustrée et d'une sacoche en cuir avec ses affaires de toilette. C'est ainsi que Madota quitta l'ordre de Sainte-Agnès et rejoignit la rébellion.

Sa première mission fut de soigner le pied du guérillero. Elle nettoya la peau déchirée par les crocs du chien, y appliqua un baume et des bandages propres que j'avais dérobés dans les affaires de premiers secours de mon père. Le terroriste se surnommait Granma, comme le yacht qui avait transporté Castro, le Che et un petit groupe de révolutionnaires à Cuba. Granma avait suivi un entraînement de treize semaines sur l'île des Caraïbes, surtout dans les montagnes de l'Oriente. Il était revenu en Rhodésie avec des mollets hyper développés, une connaissance médiocre des armes légères soviétiques et une tasse à café en céramique. Après les soins de Madota, il bascula dans un rêve où un énorme chien retenait son pied fermement dans sa gueule et nous le laissâmes là, immobile et en sueur, sur le sol en terre battue de l'appentis du jardin, juste en dehors du territoire que le chien de Rhodésie avait marqué de son urine.

Je guidai Madota derrière les sacs de sable pour lui retirer son chemisier. C'était devenu un sujet de dispute entre nous, du coup nous n'en profitâmes ni l'un ni l'autre. Je réussis à dégrafer son soutien-gorge avant l'aube, début de la trêve, et nous restâmes allongés par terre, sur le sol dur, frustrés, évitant de nous regarder.

Ce week-end-là, pendant que mon père et moi transportions les sacs de sable dans la maison afin de protéger les murs contre les balles et les éclats d'obus, Madota resta cachée dans l'appentis avec Granma, en profitant pour travailler un petit carré de notre jardin qui avait été magnifique jadis, avant que mon père ne prenne peur et ne cesse d'employer des ouvriers shonas. Tout en désherbant, elle chantait, d'une voix si longtemps retenue qu'elle en était éraillée, une voix semblable à un petit orgue, elle chantait un hymne étrange et inconnu – les sœurs de Sainte-Agnès écrivaient des psaumes en cachette – ou des bluettes absurdes que son père lui avait apprises quand elle était petite : *Il était une fois une petite fille, il était une fois une petite fille, il était une fois une petite fille, allons à Zinjanja !* Au fil des jours, Madota planta des fleurs du matin et des fleurs du soir, ainsi, en fin d'après-midi, on voyait les belles-de-jour violettes se refermer sur elles-mêmes alors que les fleurs de lune répandaient leurs fleurs blanches sous le ciel vespéral, et son chant se mêlait aux odeurs, *Qui est partie chercher du petit bois, qui est partie chercher du petit bois*, et des centaines d'espèces de papillons envoyaient leurs représentants au conclave qui se réunissait à toute heure dans le jardin toujours en fleur, *qui est partie chercher du petit bois*, et le vent faisait tinter les carillons suspendus à des fils – des éclats de porcelaine bleue d'Indonésie, des flûtes à champagne sans pied, des anneaux de serviette en verre brisés, des cuillères en argent aplaties, tout un orchestre qui ondulait et s'éteignait sous la voix de Madota comme si sa propre respiration leur donnait vie, *allons à Zinjanja !* Elle n'aménageait pas une planque pour les rebelles – ce point a été précisé dans les versions postérieures de l'histoire –, mais plutôt une maison pour nous deux. Elle planta de la menthe dans des jarres de paraffine qu'elle installa sur le rebord de l'unique fenêtre pour que le vent de la montagne les traverse et apporte toujours une sensation de fraîcheur à l'intérieur, et ce jusqu'au mois de novembre, le plus chaud, quand les carillons se turent et que le pied de Granma s'infecta.

Granma approchait de la soixantaine, était voûté mais musclé, et il s'accrochait à la vieille croyance shona selon laquelle toutes les choses étaient reliées entre elles dans la grande toile de l'univers. Par conséquent, il ne buvait jamais plus d'une tasse de café instantané mélangé à de la chicorée, bien que ce fût de loin sa boisson préférée. « Si j'en bois trop, quelqu'un va devoir trimer sous le soleil plus longtemps pour avoir le droit de cultiver la terre de ses ancêtres », expliqua-t-il. Granma nettoyait sa tasse en céramique après son café quotidien, l'enveloppait dans un tricot de peau et la posait gentiment sur son sac, par respect, me dit-il, pour le Cubain chargé de sa formation au tir. Le révolutionnaire avait été potier sous Batista, or le gérant de l'usine refusait que les ouvriers attendent que les tasses aient refroidi pour les sortir des fours. Les bouts des doigts de l'homme, nous dit Granma, ressemblaient à des champignons.

Granma prenait soin de sa tasse à café tout en regardant son pied devenir gris comme un vieux steak ; Madota s'occupait de son jardin, allait chercher de l'eau, changeait les bandages qui entouraient le pied nécrosé du guérillero ; mon père et moi entassions des sacs de sable contre les murs, avec l'intention de recouvrir le papier peint du bungalow jusqu'à disparition complète des motifs de bruyère – vingt ans auparavant, mon père avait fait venir d'Écosse le papier peint et ma mère, et le climat africain n'avait été tendre ni avec l'un ni avec l'autre. Nous empilâmes les sacs de sable par rangées de vingt, du sol au plafond, chaque étage ordonné en quinconce pour une meilleure protection au cas où une roquette perdue parviendrait à transpercer la clôture de barbelé que mon père entendait ériger autour de la maison.

Les sacs de sable obturaient la fenêtre et la porte de la cuisine, empêchant la moindre lumière de passer. L'unique ampoule au-dessus de la table formait des ombres sur l'évier où je faisais la vaisselle, et nous dûmes nous habituer à trouver des reliefs de nourriture séchée sur nos assiettes et couverts. Le bungalow comprenait douze portes intérieures, la plupart des pièces ayant deux ou trois accès, ce qui nous donnait ordinairement le sentiment d'avoir un vaste choix. Mais la barricade de sacs de sable ne laissait plus qu'une seule porte vers l'extérieur et, quand nos bourreaux rebelles vinrent enfin nous sortir de notre sécurité illusoire, ils nous conduisirent dehors, dans une lumière artificielle aveuglante, par la porte principale.

À cause de son pied blessé, Granma ne pouvait pas quitter l'appentis. À sa place, il envoya Madota à la rencontre des rebelles survivants qui avaient franchi à ses côtés la frontière de la Rhodésie. Granma avait choisi le vieil acajou de Sainte-Agnès comme lieu de rendez-vous au cas où le groupuscule viendrait à être éclaté, parce que l'arbre planté sur la crête de la montagne était bien visible, parce qu'il était sacré, et pour d'autres raisons encore que nous découvrîmes plus tard. La petite troupe avait perdu l'un de ses cadres pendant la traversée du fleuve, mais nous ne parvenions pas à faire dire à Granma si ce dernier s'était noyé ou avait été mangé par un crocodile. Granma s'était retourné afin d'aider son camarade à se hisser sur la berge mais n'avait vu que les eaux sombres et tourbillonnantes du Zambèze. Une patrouille montée d'éclaireurs leur était tombée dessus et bon nombre des guérilleros, épuisés et trempés, s'étaient rendus sans répliquer. Granma avait jeté son fusil avant de se cacher dans un arbre pendant que les éclaireurs exécutaient les prisonniers, pourtant il racontait cette histoire sans la moindre amertume dans la voix. « Que voulais-tu qu'ils fassent ? Qu'ils arrêtent mes camarades, les nourrissent, leur donnent de nouveaux habits ? avait-il demandé. Ainsi, nous aurions tous pu nous battre à jamais, la conscience tranquille. »

Madota revint avec un homme voûté et un garçon très maigre pas beaucoup plus vieux que moi, seuls survivants du groupe à être arrivés au lieu de rendez-vous. Ils n'étaient pas armés. 25-Octobre avait été formé en Union soviétique et avait choisi ce surnom en hommage à la date de la grande révolution. Il avait travaillé à la raffinerie d'Umtali jusqu'à la naissance de son douzième enfant. L'autre guérillero se faisait appeler Zhanta, comme le grand guerrier shona de la révolte de 1896. À l'instar de Granma, les deux rebelles avaient pris des surnoms révolutionnaires pour se motiver et pour préserver leur village et leurs familles d'éventuelles représailles en cas de capture.

Zhanta suivit Madota dans l'appentis. Son œil gauche enflait, pleurait, sa cornée virait au blanc. L'œil clignait sans cesse, comme espérant se débarrasser de la paupière qui flottait au-dessus, semblable à une pellicule de cendre portée par le vent. Enfant, il avait été enlevé à ses parents pour travailler dans les cuves de lavage parce que ces derniers n'avaient pas pu payer un impôt.

— *Mhoro*, camarade, dit-il à Granma tout en me regardant de son œil qui coulait, et je perçus une vague odeur de toxines.

Les parasites morts qu'il retirait des vaches dans les cuves de lavage lui apparaissaient comme la métaphore des Européens qui avaient contaminé sa terre natale.

— *Ahoi*, répondit Granma, puis il s'assit sur le sol de l'appentis, sa jambe blessée allongée devant lui.

25-Octobre s'accroupit en silence. Sur les trente-sept membres du groupe qui avait franchi le Zambèze, seuls ces trois-là avaient survécu, lesquels semblaient mal à l'aise d'avoir eu cette chance. Personne ne me présenta et je restai en dehors du cercle, me demandant si j'étais un camarade ou un ennemi. Granma déplia une carte obsolète sur une malle abîmée, le seul meuble de l'appentis. Quand j'avais tiré cette malle depuis le placard du bungalow jusqu'à l'appentis, des fragments de verre, de faïence, de porcelaine, de hâte et de désir s'étaient entrechoqués ; on aurait dit que, dans ses profondeurs, on tamisait un sable musical.

Madota avait fabriqué ses carillons avec les débris trouvés dans cette malle de la taille d'un cercueil, tapissée à l'intérieur d'un tissu moisi racontant la campagne égyptienne de Napoléon. Là-dedans, ça sentait le mildiou écossais, les embruns, la bière coupée des dockers, le bois de cageot brut et d'autres effluves étranges d'un cargo lointain qui a traversé les mers et les continents. La malle défraîchie, remplie de nippes qui ne manqueraient pas de se désintégrer sitôt arrivées en Afrique, avait accompagné ma mère lors de son voyage depuis l'Écosse.

Granma étant le seul à avoir un peu d'expérience de la guérilla, il fut désigné comme chef, et nous nous assîmes autour de la malle, qui allait devenir notre table à manger et notre bureau, pour la première réunion du gang du Léopard.

Plus que le temps, ce sont les lieux qui tissent ensemble les fils des histoires africaines, et quand Granma nous annonça qu'il savait où trouver une cache d'armes, il nous parut logique qu'elles soient enterrées près de l'acajou sacré qui surplombait le domaine de Sainte-Agnès, sur le terrain désolé jonché de fleurs mortes et d'autres fraîchement coupées. Ainsi que le raconte l'histoire, les armes avaient appartenu à un groupuscule de rebelles qui s'étaient immiscés en Rhodésie au début de la guerre, sans mission de reconnaissance préalable, ni plan ni soutien de la part des villageois des environs, car les policiers payaient ou tabassaient ces derniers en échange d'informations. Les rebelles avaient enduré trois semaines de faim et d'angoisse avant de décider d'enterrer armes, uniformes et argent, et de partir vers le sud en direction du Botswana. Seul un des membres de cette faction, Granma, reviendrait en Rhodésie afin de reprendre le *hondo*.

À cause de son pied, Granma ne put nous accompagner et, sans chef, le petit gang du Léopard que nous formions était excité comme une bande de gamins jouant à la chasse au trésor, au moment de donner les premiers coups de pelle. De temps en temps, quand nous nous penchions en avant pour pelleter sous une lune déclinante, l'épaule de Madota effleurait la mienne et je prenais si violemment conscience de sa proximité que je me sentais enfler sous mon pantalon. Bien que les rebelles en déroute eussent enterré leur trésor peu profondément dans leur hâte de partir, la saison sèche avait durci le sol, et notre enthousiasme se dissipa à mesure que les pelles heurtaient une croûte résistante comme du béton.

Pendant que nous creusions, je racontai à Zhanta et à 25-Octobre l'histoire des douze jeunes fidèles shonas qui avaient construit, sous la direction d'un prêtre suisse de la mission Bethléem, la chapelle, le couvent, l'orphelinat et l'école pour indigènes lors d'une saison sèche, aussi sèche que maintenant. Une mère supérieure et vingt-quatre novices étaient arrivées avec les pluies, et la chapelle s'était effondrée à leurs pieds. Après que le père suisse était retourné à Umtali, les Shonas érigèrent des baraquements temporaires à une distance décente du couvent et, selon l'histoire, continuèrent de servir les sœurs, d'abord en installant des latrines à fosse simple, puis un chauffe-eau, puis un système d'évacuation afin de canaliser les eaux de pluie vers le bas de la montagne. Les jeunes fidèles restèrent alors qu'il n'y avait plus rien à construire, réparant les dégradations, hormis la brèche dans le mur créée par les racines de l'acajou, qui leur fournissait un accès direct au domaine.

Le décret sur le maintien de l'ordre stipulait que quiconque était reconnu coupable d'activités terroristes serait pendu. Posséder une arme à feu tombait sous le coup de la même loi, et dans l'état de fatigue où nous étions, nous n'étions pas loin d'imaginer que nous creusions en fait notre propre tombe. 25-Octobre frissonna et sortit du trou afin de fumer une cigarette sous l'acajou. Zhanta lui balança une pelletée de terre.

— Pourquoi tu restes là à souffler ta fumée alors que nous travaillons si dur ? Granma dit : « Quand une personne se repose, une autre travaille le double. »

— Granma est toujours en train de parler. *Zzzz zzz zzz.* Il est où, là ? Qui travaille le double à sa place ?

25-Octobre pensait que Granma était *vuta*, qu'il se donnait des airs.

— Il affirme aussi qu'il prendra sur lui tous les péchés de notre nation, poursuivit-il. C'est un gros boulot, pour un infirme.

Granma pensait qu'il pouvait sauver les gens du péché en commettant des crimes à leur place. 25-Octobre cracha dans le trou que Zhanta creusait. Ce dernier lui lança un regard de mépris. Lui considérait Granma comme un saint homme. Madota et moi continuâmes à creuser, de plus en plus effrayés à l'idée que nous allions finir par tomber sur des squelettes de bébés étouffés. Tout le monde savait que les nonnes avaient enterré ici leurs bébés non désirés, commémorant l'anniversaire de leur mort par un tapis de fleurs coupées.

À un mètre cinquante de profondeur, nous atteignîmes enfin un lit de branches fabriqué par les rebelles pour protéger les armes. J'éclairai le trou avec ma lampe de poche pendant que 25-Octobre faisait l'inventaire de la cache : cinq AK automatiques chinois, sept grenades, une mine terrestre, des centaines de cartouches, quantité de pamphlets du ZANU[1], des liasses d'argent rhodésien et sud-africain, deux pains de TNT, une radio militaire, un fusil russe PPSH, des piles du *Petit Livre rouge* de Mao et des uniformes.

Nous laissâmes les pamphlets, les livres, la radio – trop risqué, les Forces de sécurité de Rhodésie surveillaient presque toutes les fréquences. Madota et moi secouâmes deux uniformes que nous comptions rapporter à la maison et laver. La chemise militaire que je m'étais choisie avait un impact de balle à hauteur de l'épaule et, quand nous revînmes à l'appentis, Madota s'assit à côté de moi pour me montrer comment réparer le trou, guidant mon aiguille à petits points. Elle tenait mes mains dans les siennes, le feu nous chauffait le visage, et nos nez étaient emplis de l'odeur de chicorée du café de Granma.

Cette même nuit, un léopard vint rendre visite à Granma dans un rêve. Il lui dit que nous resterions invisibles la nuit tant que nous éviterions les crêtes des montagnes – où la lune et les étoiles ne manqueraient pas de révéler nos silhouettes. Nous devions aussi mettre de côté nos propres intérêts, sinon notre rébellion échouerait. Le léopard était l'animal spirituel du clan de Granma et le guidait dans ses rêves.

Le nom de « gang du Léopard » fut adopté en hommage aux rêves de Granma et nous brisâmes les lunettes de nos fusils pour prouver que nous ne nous en servirions qu'à bout portant, et la nuit. Nous nous donnions du « camarade » à tout bout de champ, nous tirions à blanc sur des soldats en papier fixés aux rochers. Le vent nocturne faisait trembler nos ennemis lors de ces fusillades d'entraînement. Sur ordre

1. Zimbabwe African National Union.

strict de Granma, nous visions l'abdomen, comme c'était enseigné à Cuba : « Les hommes ont la tête trop dure et, parfois, les balles rebondissent sur le crâne. Il vaut mieux toucher le ventre ou la poitrine. Comme ça, au moins, on retire trois soldats de la bataille : celui qui est atteint et les deux qui le portent pour l'éloigner. » Le vent de la montagne recouvrait le crépitement du feu de bois et les tirs qui passaient inaperçus aussi bien aux oreilles des policiers et des soldats patrouillant dans les montagnes qu'à celles de mon père, qui arpentait notre domaine avec le chien, vérifiant les serrures et les barbelés, et de ma mère, cloîtrée dans sa chambre, où elle gardait le revolver chargé de mon père à portee de main. Prévoyait-elle de s'en servir pour se défendre contre les terroristes qui, une nuit, débarqueraient dans sa chambre, ou de retourner l'arme contre elle ? Je l'ignore.

*

En septembre, alors que le gang du Léopard en était encore à ses débuts, nous débarrassâmes la malle des cartes de Granma pour organiser un festin. Ce dernier saupoudra des morceaux de pains rassis de cannelle et nous les plongeâmes dans sa tasse en céramique pour les imbiber de café instantané à la chicorée ; 25-Octobre fit frire des scarabées que Zhanta avait chassés sur les écorces de flamboyants morts qui s'étaient jadis dressés dans notre jardin ; j'achetai de la bière locale et de la viande frite à emporter ; Madota fit bouillir dans une marmite des légumes frais qui nous avaient été livrés, nul ne savait par qui. Bien que le gang du Léopard prît garde à éviter la réserve, nous avions trouvé, ce matin-là au réveil, des courges, des tomates, des concombres, du maïs, des citrouilles, des papayes, des mangues et des courgettes devant la porte de l'appentis. « Nous avons des frères et des sœurs partout », avait dit Granma.

Madota bénit le repas d'un chant, *Prenez soin de nous, père*, sur un air improvisé qui semblait naître en quittant ses lèvres, *Guidez-nous dans notre entreprise*, les notes gracieuses étiraient et déformaient chaque syllabe. De quel « père » parlait-elle, me demandai-je : le Père chrétien des sœurs de Sainte-Agnès, pareil à celui qui illustrait son livre d'histoires bibliques ? Mhondoro, le grand esprit du peuple shona ? ou bien son propre père ? Granma me dit d'aller suspendre un morceau de viande dehors, et j'en conclus qu'il voulait faire une sorte d'offrande dans l'espoir de voir son pied guéri – il semblait que j'avais raison.

— Frère, reprends à manger, insista Zhanta auprès de Granma.

Ce dernier refusa.

— Si j'en prends trop, je prive quelqu'un.

25-Octobre n'avait pas ce genre de scrupules. Il se resservit de la bière puis il entama la chanson de l'amant absent pour sa femme qui attendait son retour à la réserve. *De lointaines montagnes nous séparent, toi et moi*, l'unique fenêtre de l'appentis qui le surplombait encadrait le néant du ciel, *et les ombres d'autres montagnes plus proches me dominent*, à ce moment-là, il serra le poing, peut-être pour insuffler un peu de tension dramatique à sa chanson, ou bien parce qu'il éprouvait quelque chose pour sa femme, *Que ne donnerais-je pour avoir mon gourdin*, à moins qu'il ne fallût interpréter cette chanson ainsi, les poings fermés, *je pulvériserais les montagnes toutes proches*, et il frappa sur la table doucement, afin de ne pas faire déborder sa bière, *Que ne donnerais-je pour avoir des ailes d'oiseau*, et il se redressa comme s'il allait s'envoler, mais il choisit de s'accroupir, *je volerais par-dessus les montagnes au loin.*

Cet air raviva le souvenir de mes parents chantant derrière la porte fermée de la chambre de ma mère, l'union de deux voix parfaitement harmonieuses qui tendaient à prouver qu'ils l'avaient fait souvent, il y a bien longtemps, avant que mon père n'emmène son épouse en Afrique. C'était une ballade ancienne, sombre et écossaise. Je ne les entendis plus jamais chanter et suis désormais incapable d'entrelacer les paroles du chant à cette histoire ni de fournir des détails de la scène qui se déroulait derrière la porte fermée, faisant de ce souvenir une digression qu'on pourra couper, éventuellement, à l'occasion d'une prochaine narration.

Personne ne dit mot quand 25-Octobre cessa de chanter, et il éclata de rire en me voyant surpris.

— Je sais combien tu aimes raconter des histoires, neveu, me dit-il, et tu penses sûrement que j'ai rejoint la révolution pour échapper à ma femme et à tous mes enfants.

Dehors, les mouches tourbillonnaient autour du morceau de viande que j'avais pendu pour Granma.

— Maintenant, je vais te dire la vérité, Gordon. Ma femme est petite. Quand elle a mis au monde notre douzième enfant, le *nganga* nous a prévenus qu'elle ne survivrait pas à une autre grossesse ; si je partageais sa couche, je risquais de la tuer. Comme il fallait bien que j'aille quelque part, j'ai rejoint le mouvement de libération.

— *Ehe!* Pourquoi ne pas utiliser un préservatif? lui demanda Zhanta.

— Un préservatif, ça peut tomber et, parfois, ça craque. Non, je suis un homme patient. La révolution ne se terminera pas de sitôt et ma femme ne sera pas fertile très longtemps encore.

Il fallut plus d'une journée pour que la pièce de viande envahie par les mouches se recouvre de vers que Madota appliqua sur le pied gangrené de Granma afin que les bêtes grignotent la peau pourrie. Laissant Granma hurler, un chiffon enfoncé dans la bouche, Madota et moi reprîmes notre lutte, cachés derrière le buisson taillé qui entourait l'appentis. J'avais fait des progrès, Madota était désormais nue jusqu'à la taille mais, malgré mes mots doux et mes promesses, elle se refusait toujours à moi. « Pourquoi est-ce qu'on fait ça ? » semblait-elle me demander. Cette épreuve aurait pu durer toute la nuit si nous n'avions pas été surpris par 25-Octobre sorti se soulager.

— Ce genre de truc met tout le monde en danger, marmonna-t-il avant de retourner, la vessie encore pleine, veiller sur Granma.

Ce matin-là, Madota brûla les vers à l'aide d'un tison et Granma sombra dans un sommeil profond qui dura deux jours. Quand il se réveilla, il refusa le café instantané que nous lui avions préparé, préférant nous raconter son rêve tout en tendant néanmoins sa tasse à Madota.

— Dans mon rêve, le léopard m'a montré notre première cible. Ce soir, nous attaquerons les sœurs de Sainte-Agnès.

Zhanta observa Granma avec insistance et Madota sembla se replier sur elle-même. Moi, je m'écartai du cercle des rebelles. Jusque-là, nous avions surtout joué aux soldats et beaucoup parlé.

— Camarade, ce ne sont que de vieilles bonnes femmes, dit 25-Octobre.

— Des vieilles femmes, mais soutenues par Jésus. Lui est bien plus dangereux que des soldats.

Le pied de Granma me parut plus petit sous son bandage.

— Un vrai Sauveur commettrait nos péchés à notre place, reprit-il. Afin que nous soyons épargnés.

— C'est pour ça qu'on s'est entraînés ? demanda Zhanta. Les soldats sont censés mourir au combat, mais les nonnes... !

— Exactement ! déclara Granma en frappant la table, et le contenu de la malle lui répondit en musique. Combien d'actes similaires pouvons-nous endurer ? Le moment est venu pour un nouveau genre de guerre, tellement laide que personne ne pourra l'affronter. L'ancienne n'a que trop duré.

— Les nonnes ne font de mal à personne, dis-je.

En général, je m'abstenais de tout commentaire lors de ces réunions ; ma voix me parut faible, puérile.

Granma bascula légèrement en arrière et me regarda.

— Quand j'étais petit, un messager du ministère de l'Agriculture est venu informer ma famille que notre bétail serait confisqué, ainsi que notre terre ancestrale, faute d'acte de propriété. À la place, on allait construire un couvent et un orphelinat. Personne n'est parfait, neveu.

Ainsi, je compris pourquoi l'histoire de Granma ne cessait de tourner autour du vieil acajou.

Zhanta se mit à pleurer de son unique œil. Peu de temps après sa sortie des cuves de lavage, les guérilleros étaient venus dans son village et avaient promis à sa mère qu'ils enverraient son fils faire des études en Angleterre afin qu'il obtienne un poste de pouvoir quand la majorité shona viendrait à diriger le pays. Ils l'emmenèrent en Zambie, l'affublèrent d'une chemise, d'un treillis kaki et d'un nouveau nom, puis l'expédièrent en Algérie pour le former. Tous les soirs, Zhanta imaginait les visages des membres de sa famille et s'évertuait à se rappeler l'emplacement de chaque case dans son village.

— On ne rentrera jamais à la maison, dit-il d'un ton malheureux.

— Tu viens de t'en rendre compte ? lui rétorqua Granma.

— Je n'ai pas rejoint le mouvement de libération pour tuer des nonnes, déclara 25-Octobre.

Granma posa la main sur son épaule.

— Ne t'inquiète pas, camarade. Je prends leur mort sur moi.

Ces derniers temps, le vieux révolutionnaire parlait avec gravité et emphase, comme s'il lisait les Écritures.

Je puisai de l'eau dans des seaux provenant de la cuisine du bungalow et nous nous lavâmes rituellement en préparation de l'attaque, savonnant et rinçant nos parties génitales et nos aisselles. Personne d'autre ne leva les yeux quand Madota nous rejoignit, mais je ne pus détourner les miens de sa nudité, de l'eau qui coulait sur son ventre et sur les poils entre ses jambes, et je me rinçai rapidement afin de cacher mon érection. Nous nous habillâmes avant de dessiner des taches léopard sur nos visages avec des tisons froids puis partîmes ensemble déclencher la nouvelle guerre de Granma – parce que nous avions trop peur pour y partir seuls.

*

J'omettrais volontiers la suite, mais un récit se fossilise avec le temps et on ne peut pas le modifier. Le gang du Léopard s'infiltra dans la brèche du mur et continua jusqu'à la chapelle obscure où les nonnes, d'après ce qu'on dit, dansaient lentement dans les bras les unes des autres, les yeux fermés, la tête pleine de souvenirs. Madota et moi prîmes position auprès de la mitrailleuse installée derrière un tas de briques contre le vieil acajou. De là, nous pouvions observer la route et couvrir nos camarades. Le couvent brillait à la lumière de la lune comme les murs du Paradis dans la bible illustrée de Madota. À ce stade du récit, je suis censé raconter comment j'ai perdu ma virginité et suis devenu un homme mais, je ne sais trop comment, Granma manipula l'histoire tant et si bien qu'il ne s'agit plus que de tuer des nonnes – et il n'y a plus de place pour mon passage à l'âge adulte. Je sentis mon sang pulser quand je redressai la mitrailleuse et visai Granma entre les omoplates.

Madota comprit peut-être mon intention car elle déboutonna sa chemise et la laissa tomber par terre. Les alliances en argent scintillaient sur sa peau. La plus grande des deux avait appartenu à son père, qui l'avait élevée ; l'autre, à sa mère, qui était décédée avant les premiers souvenirs de sa fille. Granma fit quelques pas en boitant et j'abaissai l'arme, soupirant. Le vent de la montagne emporta mon souffle.

Madota leva les bras et je retirai son soutien-gorge, tremblant de contentement tandis que j'embrassais son visage, son cou, ses seins, ses tétons. Elle me montra comment l'aider à offrir son corps et, après quelques tentatives ratées, me guida en elle. En aval, une voiture blindée avançait à flanc de montagne suivie d'un cinq-tonnes rempli de soldats assis sur des sacs de sable pour protéger leurs testicules des mines terrestres, et leurs cigarettes incandescentes luisaient comme des yeux de rats. Qui, dans le gang du Léopard, nous avait trahis ? Je tentai de ramper vers la mitrailleuse mais Madota me retint. J'avais du mal à respirer, sa beauté et l'instant s'étiraient devant moi. J'entendais le grincement des essieux des véhicules qui approchaient et le craquement des pétales morts entre les doigts acérés des nonnes.

Peut-être que Madota finit par céder non pas parce qu'elle m'aimait mais pour pouvoir cesser de m'aimer ; à moins que, allongée là sur sa chemise kaki, sous l'ombre imposante d'un vieil acajou, elle ait imaginé le lit nuptial que nous ne partagerions jamais.

Le premier coup de fusil de Granma éclata dans le couvent. Les nonnes, selon certains, priaient à l'unisson tandis qu'on les exterminait, *Le Seigneur est mon berger, je ne manque de rien*, et on affirma que l'intervalle entre deux coups de feu correspondait précisément au temps dont Granma avait besoin pour boitiller d'une sœur à l'autre, *Sur des prés d'herbe fraîche, il me fait reposer*, à chaque vers s'éteignait une voix, *Il me mène vers les eaux tranquilles*, jusqu'à ce qu'il ne reste plus qu'une sœur pour chanter le dernier vers de ce psaume démantelé, *J'habiterai la maison du Seigneur pour la durée de mes jours*.

Le vrombissement de la voiture blindée et du cinq-tonnes continuait de se rapprocher. Granma tira son dernier coup de feu dans le couvent, mes sens étaient saturés ; voilà pourquoi j'avais rejoint le mouvement de libération, pour amener Madota à cet instant d'égoïsme, et je râlais, grognais et ignorais le raffut causé par les véhicules, les soldats, les détonations, mes yeux fermés face à son regard impassible pour ne pas gâcher ce moment merveilleux où je devenais un homme.

Épuisé, j'écoutai ensuite les détonations des fusils FN des soldats et la pétarade plus grave des fusils d'assaut chinois du gang du Léopard qui ripostait. Je pus à peine lever la tête, le temps de voir 25-Octobre s'en prendre une sur la pelouse de la chapelle. Une balle dans la poitrine qui le fit pivoter vers ses bourreaux, une autre dans le cou, une troisième dans l'aine. Il dut se réjouir de cette dernière blessure, à présent il ne représentait plus une menace pour son épouse trop fertile ; il s'allongea sur le flanc et se vida de son sang tout en chantant l'amant absent, jusqu'à manquer du souffle suffisant pour que l'air atteigne la réserve où sa femme l'attendait. La silhouette mourante de Zhanta titubait entre les arbres au milieu des tirs de silencieux, son œil purulent désormais aveugle, ses bras et ses jambes s'agitant follement quand il tomba, pour se relever ensuite, comme par miracle, dans son village où, dit-on, il fut aperçu par sa mère et son cousin. Je ne vis aucun signe de Granma pendant ce bref accrochage à l'extérieur de la chapelle et les journaux n'évoquèrent que deux cadavres.

Je fermai les yeux et rêvai de Madota dans un endroit à des milliers de kilomètres d'ici où je ne pourrais jamais la retrouver. *Elle berçait un bébé dans ses bras, une fille qui ressemblait à sa mère mais avec les yeux bleus et des reflets roux dans les cheveux.* Je tendis la main dans l'espoir de toucher ma famille perdue, mais la peau de ma femme et de ma fille était aussi rêche que le coton de la chemise militaire de Madota, et mes doigts se maculèrent de sang quand ils fouillèrent l'endroit où elles avaient été mais n'étaient plus. Si le vieil acajou n'avait pas plongé ses racines aussi profondément dans la terre, il se serait détourné, fatigué de ce spectacle, et je m'enfuis en courant dans la forêt.

*

Aux branches de l'arbre sacré se balance à présent l'épilogue de cette histoire – des carillons faits de viseurs de fusil brisés, d'alliances en argent et de débris d'un mug en céramique, signe, peut-être, que Madota refusait de boire dans la tasse que Granma laissa derrière lui. L'intendante du couvent abandonné se rappellerait avoir acheté les carillons dans un *musika* – avant que la police ne ferme ces marchés indigènes et n'éparpille les commerçants – à une femme qui portait sur sa hanche un bébé de couleur aux cheveux roux. Je serais appelé sous les drapeaux le jour du deuxième anniversaire de l'attaque des nonnes par le gang du Léopard. J'aurais deux semaines pour me présenter aux Forces de sécurité de Rhodésie.

Mon père, inquiet que les sous-bois puissent abriter des terroristes, loua un bulldozer afin de raser le terrain entre le bungalow et les barbelés. Certaines nuits, je franchissais l'espace allant des murs capitonnés par les sacs de sable à la clôture, contournais le chien qui patrouillait sur la terre saccagée sans jamais remuer la queue, enjambais les jeunes pousses mêlées aux arbustes morts pour me rendre là où le gang du Léopard s'était autrefois réuni, autour de la malle pleine d'espoir de ma mère, dans l'appentis désormais effondré et plongé dans l'obscurité. Les fleurs de lune crépusculaires s'ouvraient toujours et le vent continuait de ramasser les notes des carillons, ce qui me paraissait une raison suffisante pour y revenir.

Les Portugais avaient perdu le Mozambique et le nouveau gouvernement avait proposé aux hommes du *hondo* de se rassembler derrière la frontière à présent fermée, laquelle bordait la région montagneuse à l'est de la Rhodésie. Depuis leurs nouveaux camps, les terroristes pouvaient facilement traverser la zone de tir libre à pied ou bien débarquer chez nous la nuit, agglutinés sur les marchepieds et les capots de leurs jeeps.

Cette nuit-là, le bruit des moteurs me réveilla et je les entendis tirer sur notre chien de garde. Je ne quittai pas mon lit, avec l'illusion que les douze portes du bungalow offraient des issues de secours. Ni mon père ni ma mère ne parurent surpris de voir surgir les rebelles à cagoule qui envahissaient leurs rêves depuis leur arrivée en Afrique. Les terroristes mirent le feu au bungalow et nous fûmes pris dans le brasier. Mon père irait à la rencontre de la mort en premier, sans courage ni réticence mais avec résignation, comme s'il n'avait pas sa place dans ce nouveau monde où être blanc n'était plus une bonne chose. Ma mère le suivrait passivement – peut-être que son revolver était tombé par terre quand elle avait voulu l'attraper et que les rebelles la trouvèrent le cherchant à quatre pattes dans le noir. À moins qu'elle n'ait placé le canon dans sa bouche mais n'ait pas été capable d'appuyer sur la détente. Quoi qu'il en soit, l'arme avait surtout servi à repousser ses terreurs nocturnes, comme le chien de Rhodésie qui gisait immobile près de la maison en feu, langue pendante.

Les hommes nous éloignèrent de la maison, nous obligèrent à nous allonger sur la terre dévastée avec l'intention de nous guider vers les eaux calmes du Léthé. C'était la voie de la sagesse et même si nous reposions dans l'ombre de la vallée, je ne craignais rien parce que Granma se tenait là devant nous, terrible et immortel, avec sa canne et son fusil d'assaut chinois, m'apportant un peu de réconfort par sa présence.

Alors qu'il toisait mon père, le canon du fusil pointé sur son dos, Granma fit un pas en arrière pour éviter les projections de viscères. Ma mère attrapa la main de mon père et il la serra, seul signe d'affection entre eux dont je fus témoin ma vie durant. Au moins, ils auraient ça : mourir ensemble. Mon père rebondit quand les balles l'atteignirent et ma mère éclata en sanglots, comprenant vraiment pour la première fois depuis ma naissance qu'elle était en Afrique, poussant un hululement aigu qui résonnait toujours après que Granma avait signé sa mort.

J'enfouis mon visage dans mes mains tandis que les pas claudicants de Granma se rapprochaient et je frissonnai quand son fusil heurta mon dos. Un souffle de vent parcourut les creux de la vallée pareils aux tuyaux d'une flûte de Pan et, quelque part, parmi les feuilles au-delà de la clôture, le bric-à-brac de Madota tinta comme les cloches d'un mariage. *Il était une fois une jeune fille*, j'avais envie de l'épouser et de serrer notre fille dans mes bras, *Il était une fois une jeune fille*, mais mon histoire ne m'appartenait déjà plus, pas plus que les sœurs du couvent de Sainte-Agnès ne pouvaient désormais s'approprier les histoires que j'avais inventées à propos de leurs amants shonas et de leurs bébés étouffés.

La pétarade d'un fusil automatique suivit certainement, mais seuls des sons assourdis s'inscrivirent dans ma mémoire à ce moment-là : le doux murmure des carillons de Madota, *Allons à Zinjanja !*, et le crépitement des flammes qui brûlaient les sacs de protection, transformant le sable fondu en flaques de verre opaque.

Déviant des préceptes qu'on lui avait enseignés, Granma pressa son fusil contre ma tête, assez fort pour que le canon pivote selon un angle oblique. La première balle rasa mon crâne sans y pénétrer, erreur contre laquelle il nous avait pourtant mis en garde, et les autres balles allèrent se ficher dans le sol sans me faire plus de mal. Mon épaule retomba contre celle de mon père, les doigts morts de ma mère effleurèrent la plaie humide de ma tête, désormais consacrée, au moment où je basculai dans les ténèbres ; maintenant que les rebelles étaient là, nous formions enfin une famille, mon père, ma mère et moi.

Dès lors, la rivière shona pourrait conclure ce conte par « Et le jour se leva » ; un enfant par le mot « Fin » ; ou, comme dans les psaumes, les sœurs de Sainte-Agnès par « Amen ». Mais parfois les fins vont et viennent à l'insu de l'histoire. J'imagine que celle de Granma circule toujours, chargée de toutes les atrocités qu'il a commises pour que d'autres en soient sauvés ; que celle de Madota coule comme le lait maternel dans la bouche de notre fille ; tandis que celle de mon père et de ma mère s'achemine vers une éternité que ne peut suivre cette narration ancrée dans le réel. Ma propre histoire revient invariablement à cette nuit où Granma m'a épargné afin que je réponde à l'appel de l'armée et me batte pour l'autre camp – devenant son disciple dans son projet de nouvelle guerre –, une page vierge devant moi, à remplir de bien d'autres péchés.

Le centre du monde

Décembre 1972

Pour le dîner, je fis réchauffer un plat de viande dans le four à convection, un appareil imposant qui, par le passé, avait accueilli des pains suffisamment gros pour nourrir trente-neuf garçons. Les odeurs de nourriture montèrent avec la chaleur vers les poutres du réfectoire vide.

Dans les montagnes de l'Est, le jour se couche brutalement. Le temps que je me lève de ma chaise, le spectacle qu'offrait la vallée avait été remplacé par mon reflet dans la vitre. J'éteignis la radio, interrompant les chants de Noël et les bulletins d'information sur la guerre. Des guérilleros avaient mis le feu à une ferme au nord-est de la Rhodésie. L'année 1972 touchait à sa fin.

En tant que dernier pensionnaire de la Mission sociale pour garçons difficiles, il me revenait d'éteindre les lumières et de fermer la porte. Au-dessus de celle-ci trônait un planisphère encadré – ou plutôt un amas de continents collés sur un océan de feutrine bleue. L'Afrique était dessinée trop haut par rapport à l'équateur, la Rhodésie légèrement trop à gauche, ce qui plaçait la mission pile au centre du monde. Dehors, un homme détachait un van cabossé de la Land Rover du Très Révérend. Mrs Tippett se tenait sur la véranda du presbytère afin de s'assurer que l'homme laisserait bien les couvertures et le matériel qui n'étaient pas inclus dans la vente. Le Très Révérend s'était retiré pour la nuit. Depuis que le ministère de la Justice avait rompu son contrat avec la mission, il passait plus de temps à dormir qu'éveillé, laissant à sa femme le soin de superviser le délitement de son Grand Œuvre.

— Où vas-tu ? me demanda-t-elle.

Je haussai les épaules. Les écuries n'avaient plus besoin d'être nettoyées. Quelques jours plus tôt, un représentant des Forces de sécurité de Rhodésie avait réquisitionné tous les chevaux de la mission, sauf la jument qui s'était noyée dans la rivière. Mrs Tippett se tourna vers le presbytère où dormait son mari derrière les volets fermés pour mieux occulter ses échecs.

— Allez, va, me dit-elle.

Je regardai l'homme s'éloigner avec le van cabossé. Un jour où le van était rempli de chevaux, un mamba vert avait rampé à l'intérieur et s'était fait piétiner. C'est ainsi qu'étaient apparues les bosses sur la carrosserie. C'est Izban qui m'avait raconté ça. Il aimait dire que je collectionnais les histoires comme d'autres les insectes morts.

Dans ma poche se trouvait le papier que j'avais retiré de la poubelle le jour-même.

Avis de crémation et de cession
Crématorium H. Takafakare
« Rendez un dernier hommage, pas vos dernières économies »
Cet avis informe respectueusement les personnes concernées
que la crémation et la cession de tous les biens relatifs
au mort seront menées d'ici à la fin de la journée de relève.

J'observai la piste qui traversait le terrain désert. Chaque matin, des femmes de la réserve descendaient de la montagne avec des seaux afin de puiser l'eau là où la rivière était la plus profonde, en lisière de la mission. Selon leurs histoires, la piste s'appelait la route des Trois-Hommes. Avant d'être transférées dans la réserve, les puiseuses d'eau avaient vécu dans un village aux abords de la rivière, près d'un kopje[1] sacré où la terre et le ciel se rejoignaient. Désormais, elles empruntaient la piste qui les ramenait à la rivière de leur jeunesse en frappant le sol avec un bâton. La descente dans la vallée prenait moins d'une heure ; mais le retour jusqu'aux terres allouées était si éreintant qu'il mettait en péril l'équilibre précaire de leurs vies.

En marchant, les femmes racontaient à tour de rôle un conte traditionnel qui débutait à l'époque où Dieu et les animaux parlaient encore aux hommes. Si je les accompagnais, elles s'exprimaient en anglais, contentes d'avoir un public. Leurs histoires évoquaient davantage un territoire que ses habitants et la symbolique importait plus que l'intrigue. Le rythme de leurs voix suivait la cadence des bâtons de marche. Et quand les derniers mots avaient été prononcés, « C'est tout », et que les femmes se retrouvaient coincées dans le présent, l'une d'elles criait : « Une histoire ! », déclenchant une réaction en chaîne : « Oui, raconte ! », et une puiseuse d'eau prenait le relais, remontant jusqu'aux jours de la Création.

Je suivis la piste au-delà des dortoirs plongés dans l'obscurité, lesquels avaient jadis abrité la jeunesse criminelle de notre nation. Ces jours-ci, la Rhodésie avait besoin de ses jeunes délinquants pour la guerre et toute velléité

1. Petite colline sur laquelle se dressent généralement d'imposants rochers.

rédemptrice avait disparu. Une vibration secoua la terre, me démangeant la plante des pieds. La vallée se situait à la frontière sud de la plaque tectonique qui s'étendait sur toute l'Afrique. C'était un endroit mouvant, agité ; de tels tremblements étaient fréquents et la plupart du temps sans conséquences. La piste tournait autour de la chapelle abandonnée puis suivait la berge de la rivière sur huit cents mètres, jusqu'au faîte du kopje qui se dressait depuis le fond de la vallée. À la suite d'un ancien cataclysme, le haut s'était écroulé, ce qui lui donnait l'allure d'un autel colossal. Une colonne de fumée s'en dégageait.

Je commençai l'ascension de la colline, longeant l'une des deux ornières qui en creusait le flanc. Alors que j'approchais du sommet, il se mit à neiger des flocons qui me chauffaient les joues. Je les balayai du bout de mes doigts, devenus soudain gris et gras.

Au sommet, le sol s'aplanit. Dans le noir, je distinguai un four en briques qui semblait enfler et ronfler au milieu d'un champ de cendres. Derrière le four, illuminée par ses flammes, se trouvait une cabane en pierre. Des carillons pendaient à la corniche, un ensemble d'os creux qui tournoyaient et s'entrechoquaient dans un clic-clac sourd et pourtant musical. Le propriétaire du champ s'appelait Mr Takafakare, un cultivateur de patates douces ruiné qui était régulièrement pris de violentes quintes de toux. Il se tenait au-dessus de l'ossature carbonisée de ce qui avait été l'encolure et l'épaule d'une jument noyée. Près du four patientait une camionnette dont la benne contenait une tronçonneuse.

— T'es venu voir le cheval brûler ? me demanda Mr Takafakare.

Je clignai des yeux irrités par la cendre et la fumée. Le préposé à la crémation éclata d'un rire bref, presque un aboiement, qui se transforma en râle.

— Tu as failli le rater, jeune homme.

Il sortit un mouchoir parfaitement blanc de sa poche et y cracha après s'être raclé la gorge. Le vent souleva des poussières d'os calcinés qui voletèrent entre nous.

Mr Takafakare avait acheté ce champ afin d'y faire pousser des patates douces. Plus tard, il y construisit un four pour arrondir ses fins de mois. Il en eut l'idée après avoir écouté une émission de radio où un employé du ministère de l'Agriculture vantait les mérites de l'engrais au charbon. Mr Takafakare se rendit vite compte qu'il n'existait aucun débouché commercial pour des patates douces cultivées à la cendre, même humaine, et son destin dévia de l'agriculture pour s'orienter vers la crémation. Pendant vingt ans, le four lui souffla une fumée d'os noircis au visage, l'obligeant à se retirer chaque soir dans sa maison pour enfouir son nez et sa bouche dans des mouchoirs en lin propres. Là, il expectorait les résidus des Shonas sans terre, des Indiens de basses castes, des vagabonds de toutes sortes et du bétail malade.

D'un coup de pelle, Mr Takafakare brisa les restes de la jument qui s'enflammèrent avec fureur dans une gerbe d'étincelles. Le four s'embrasa aussi, inondant la scène d'une lumière blanche, et je vis une fille en haut d'une échelle appuyée au toit de la maison. Elle tenait un panier rempli de linge sur la hanche. Le bout de son nez était à peine visible derrière les courbes de ses joues. Des rhoeos poussaient dans un pot sur le bord d'une fenêtre à côté d'elle, et l'air pulsé du four en agitait les longues langues violet et vert. La peau et les cheveux de la fille étaient uniformément gris, hormis ses bras, qui étaient bruns et semblaient avoir été récemment plongés dans l'eau. Je l'observai tandis qu'elle étendait les mouchoirs de son père sur le toit en amiante pour qu'ils sèchent. Mon visage s'échauffa de nouveau. Les émotions fortes me mettaient mal à l'aise – un trait de caractère dont j'avais hérité.

Le préposé à la crémation suivit mon regard jusqu'à sa fille. Il aurait pu me demander de déguerpir mais il savait que je vivais à la mission et redoutais les ennuis. Des tourbillons de cendres grimpaient aux barreaux de l'échelle tandis que la fille en descendait, son panier vide. Mr Takafakare plongea son visage dans son mouchoir et souffla bruyamment. Puis il me la présenta.

— Voici ma fille, Madota.

Il est coutumier de donner aux enfants un prénom qui évoque un problème familial au moment de sa naissance. Mr Takafakare avait appelé sa fille *Madota*, ce qui signifiait « cendres » en shona. Elle se tenait devant moi à la lumière du four, enveloppée dans son silence.

— Un démon vit en elle, me dit Mr Takafakare. Elle ne peut pas parler.

Je suivis Madota dans la maison pauvrement meublée : une marmite et trois bols en métal ; un carton contenant des provisions pour la semaine ; la machine à écrire et le dictionnaire qui avaient permis de rédiger l'avis qui se trouvait dans ma poche ; un vieux matelas devenu lisse et sombre à l'endroit où, chaque soir, Mr Takafakare s'allongeait seul et transpirant ; un lit de camp fait au carré où dormait sa fille ; et quatre livres jaunis, l'*Histoire des peuples de langue anglaise* de Winston Churchill, chacun portant sur la couverture l'autographe – l'écriture d'un mégalomane –, en fac-similé et en lettres dorées gaufrées, de l'ancien Premier ministre anglais. Le vrai propriétaire des volumes était un enseignant de l'école tribale voisine, mort *ab intestat*. Mr Takafakare avait pris le corps, ainsi que les livres en dédommagement, et les avait empilés afin de s'en servir comme d'un tabouret.

Une photo de la femme décédée de Mr Takafakare était accrochée au mur à côté de son alliance, pendue à un clou. La santé de Mrs Takafakare avait été vaincue par la fine pellicule de poussière humaine qui recouvrait chaque surface et chaque ustensile de la maison. Quand tout fut fini, son mari la déposa dans le four. On disait que son corps était alors tellement amaigri que les flammes effleurèrent à peine son linceul avant de s'éteindre. Désespéré, Mr Takafakare arrosa sa femme d'essence et elle partit dans un nuage épais qui obstrua le ciel jusqu'à ce qu'une pluie purifiante vienne tout chasser deux jours plus tard.

Madota essuya la cendre de la table de la cuisine avant de m'installer devant un grand bol de soupe au beurre d'arachide qui avait un vague goût de charbon. Je compris qu'elle l'avait réchauffée dans le four à crémation. Elle suivait de ses yeux en amande chacune des cuillerées que je portais à ma bouche ; je la regardai à mon tour, comprenant cette fois que j'étais en train de manger son repas.

Je versai le restant de soupe dans l'évier avant de m'asseoir sur l'*Histoire des peuples de langue anglaise*. Madota s'accroupit à côté de moi. La terre trembla légèrement alors que nous observions par la fenêtre la galaxie d'étoiles qui oscillaient à la chaleur du four. Madota avait les doigts saillants, musclés, preuves d'une vie passée à tordre les mouchoirs de son père. Elle pressa ma main, m'implorant en silence. *Parle-moi*.

Je n'avais jamais parlé longtemps à une fille et, alors que la chaleur de sa paume se communiquait à la mienne, je commençai à lui raconter les histoires glanées auprès des puiseuses d'eau, les entremêlant les unes aux autres. « Voici ce qui s'est passé il y a bien longtemps, quand les hommes écoutaient encore Dieu et les animaux. »

Allongé sur son matelas, Mr Takafakare tourna les yeux vers nous, inquiet de la tournure que prenaient les derniers mois de sa vie. J'avais vu le sang mêlé à la cendre et au mucus sur ses mouchoirs, je savais que, bientôt, il alimenterait son propre four.

Le vent nocturne balaya la colline, emportant avec lui la chaleur du four, alors les restes de la jument se refroidirent et se désintégrèrent, se joignant aux cendres des autres animaux et des ancêtres qui tapissaient le sommet plat du kopje. Dehors, les hyènes, attirées par l'odeur de viande calcinée, fouillaient le champ de leur museau, brisaient les os sous leurs mâchoires, se remplissaient la panse de cendres.

*

Quatre ruisseaux coulaient depuis les montagnes qui entouraient la vallée. Ils se rejoignaient pour former une rivière, un élément topographique qui, ajouté à l'abondance et à la variété des arbres fruitiers, avait convaincu le Très Révérend qu'il avait localisé l'éden. Il fit pression sur le ministère de l'Agriculture pour raser un village shona et déplacer ses habitants vers la réserve voisine, aux confins de la vallée, afin de pouvoir établir sa mission sur cette terre originelle.

Mrs Tippett et moi mangions des œufs frits assis chacun d'un côté de la table, et le tintement de nos couverts contre nos assiettes était étonnamment bruyant dans le silence du réfectoire. Le Très Révérend ne se levait plus pour le petit déjeuner. Quand le gouvernement avait interrompu le financement de la mission, il avait proposé aux garçons plus âgés de raccourcir leur peine s'ils intégraient les Forces de sécurité spéciales de Rhodésie. Et aux plus jeunes de terminer la leur en école d'apprentissage. Comme je n'avais plus qu'un mois à tirer, on m'avait autorisé à rester ici tandis que Mrs Tippett vidait la mission de ses richesses.

J'entendais les voix des puiseuses d'eau qui descendaient à la rivière, leurs jarres en terre cuite accrochées à un bâton, empruntant inlassablement la piste qui traversait la mission. Bien que rendues à moitié infirmes par les années de labeur, elles refusaient de se servir du puits communal de la réserve, préférant aller chercher l'eau à la rivière en bavardant. Le Très Révérend avait exigé qu'elles cessent de piétiner ses terres mais ses domestiques refusaient de s'en prendre aux femmes. Parfois, alors qu'elles puisaient l'eau, je m'asseyais sur les marches de la chapelle et m'immergeais dans leur flot de paroles.

Mrs Tippett me surprit en s'adressant à moi.

— J'ai besoin que tu m'aides à habiller le révérend et que tu l'amènes sur la véranda.

— J'ai des choses à faire, répondis-je en me levant.

Mrs Tippett tritura les œufs sur son assiette.

— Quand j'avais ton âge, Gordon, dit-elle enfin, moi aussi, je croyais que le monde tournait autour de moi.

Dehors, deux hommes s'acharnaient à faire sortir un orgue par les doubles portes de la chapelle, une entreprise menée de haute lutte contre la pente ascendante. La chapelle avait été construite trop près de la rivière et la partie qui abritait l'autel s'affaissait dans la boue. Sous mes pas, des criquets déversaient leurs œufs un peu partout, signe, selon les puiseuses d'eau, que les pluies arrivaient. Les femmes m'avaient dit de ne pas m'approcher du kopje. À leurs yeux, la crémation était la pire des profanations ; sans corps et sans demeure, les esprits des morts incinérés erraient, imprévisibles. Quand j'arrivai, Mr Takafakare tentait d'introduire un corps en position fœtale dans le four en briques qui ne faisait pas plus de un mètre vingt de long.

— Encore vous, jeune homme ! Malheureusement, je crains que ma fille ne doive aller dans la montagne cueillir du basilic camphré pour apaiser ma toux, dit-il en secouant la tête avec regret. Revenez la semaine prochaine !

Mais Madota posa légèrement sa main sur mon épaule : *Viens avec moi*, et nous descendîmes ensemble vers le bas du kopje, sous le regard de son père. Nous longeâmes les berges de la rivière, laissant nos pieds s'enfoncer dans le limon noir, et j'eus l'impression d'avancer dans un rêve.

— C'est là que la jument s'est noyée, dis-je. Celle que ton père brûlait la première fois que je suis venu chez toi.

Déjà, cet épisode n'était plus qu'une anecdote intégrée dans l'histoire de notre rencontre.

La route des Trois-Hommes parcourait la vallée et remontait dans les montagnes, au-delà du vieil acajou, du couvent qui abritait les orphelines shonas et du buisson où mon parrain avait enterré mon cordon ombilical. Nous dépassâmes une plantation de coriandre abandonnée par des moines franciscains – le Manicaland pullule de ruines d'anciennes missions – et je racontai à Madota qu'autrefois, la nuit, les moines se promenaient nus dans les champs, ensemençant les sillons de coriandre de leur sperme. Le sol frémit légèrement sous nos pieds et nous nous prîmes la main pour ne pas trébucher. La piste traversait l'autoroute de montagne qui desservait la réserve, où marchands et chalands suffoquaient dans la poussière et les effluves d'essence. J'avais mal aux mollets à force de lutter pour maintenir la même allure que Madota, dont la silhouette semblait toujours me surplomber, auréolée de lumière – une vision sans doute due à l'air raréfié et au manque d'oxygène. Mes mots se perdirent dans le vacarme. La route des Trois-Hommes aboutissait à un lieu profane où Dieu avait réuni Passé, Présent et Futur en une seule créature qui se courait après. Tout ça, je l'avais appris des puiseuses qui recueillaient l'eau de la rivière.

— Les poussées sont orientées vers le sud, dis-je en répétant les paroles des femmes. La pluie arrive.

Madota se tourna vers moi et posa sa main sur ma nuque. *Embrasse-moi*. Je me penchai vers elle et ses lèvres burent mes mots avant même que je les prononce. Au-dessus de nous, le soleil, invisible, se déplaçait dans le ciel, l'air de la montagne ramassait l'humidité qu'il avait semée à l'aube, les nuages semblaient avaler des morceaux de la vallée.

La rivière, moins sinueuse qu'autrefois, coupait la vallée en deux moitiés égales. Chaque matin, j'en longeais les berges jusque chez Madota, dépassant l'endroit où la jument noyée s'était décomposée pendant deux semaines avant d'être découverte l'estomac plein de gaz combustibles, qui se consumèrent avec une telle férocité qu'ils firent fondre les briques du four. Dès ce jour, et afin de préserver son gagne-pain, Mr Takafakare prit l'habitude de s'accroupir devant la bouche du four endommagé afin d'en évaluer la chaleur selon l'intensité du souffle qui venait le frapper au visage. Il endura cette proximité pendant près d'un mois avant de se résoudre à aller à Umtali pour acheter un pyromètre.

N'ayant jamais quitté la vallée, Mr Takafakare me demanda de l'accompagner. Les nuages bas semblaient flotter autour de nous alors que le camion s'efforçait d'atteindre le sommet de la montagne. Tout en conduisant, Mr Takafakare enfournait des feuilles de basilic dans sa bouche et les réduisait en une sorte de pulpe qui remplissait les interstices entre ses dents. J'étalai la carte sur mes cuisses, prêt à donner des indications quand nous parviendrions en terrain peu familier. La Rhodésie passait pour une région plate et monotone – un des fameux « endroits vides de la planète » selon Churchill – avant que les « peuples de langue anglaise » ne viennent établir sa véritable topographie.

— Pourquoi les puiseuses d'eau pensent-elles que le kopje est sacré ? demandai-je.

Le camion grinçait et cahotait dans la côte.

— Au début du monde, me répondit-il, Dieu déchira les montagnes et enterra le village sous les cendres. Quand nos ancêtres virent que le kopje avait été coupé en deux, ils en conclurent que c'était un endroit sacré.

La route des Trois-Hommes s'étirait devant nous au milieu des nuages.

— Ils commencèrent à y ensevelir leurs morts, en position accroupie, épaule contre épaule, génération après génération, jusqu'à ce que la terre soit pleine. C'est pour ça qu'on m'a autorisé à acheter le champ. Même les Européens refusent de vivre là.

Il voulait en dire plus mais fut pris d'une violente quinte de toux qui macula le pare-brise de particules rouge et vert.

Le camion s'arrêta quand nous parvînmes en haut de l'autoroute. Mr Takafakare se tourna vers la vitre arrière et observa la vallée en contrebas. Peut-être craignait-il, si nous poursuivions, de nous voir tomber dans le vide. Il resta ainsi à contempler la route d'où nous venions tandis que le moteur du véhicule tressautait. Enfin, il fit un demi-tour en trois mouvements sur le toit du monde, et nous revînmes sans le pyromètre.

Cette nuit-là, à la mission, je rêvai que Mr Takafakare me poussait dans son four. Je me réveillai recroquevillé sur moi-même sous ma couverture et aperçus des flammes qui léchaient le papier peint. Le Très Révérend avait aspergé le plancher du dortoir d'essence et mis le feu. M'enroulant dans mes draps, je rampai à travers la fumée en direction d'un rectangle de lumière stellaire encadré par des rideaux de flammes. Une fois dehors, je rejetai la couverture en feu et me roulai dans la poussière, à bout de souffle.

Le temps que je parvienne aux robinets, le bâtiment était une cause perdue. J'aspergeai néanmoins le sol afin d'empêcher le brasier de s'étendre au presbytère. Le Très Révérend déclamait les Saintes Écritures tandis que Mrs Tippett l'emmenait au loin, et des étincelles crépitaient dans ses cheveux. « Garde-toi d'offrir tes holocaustes dans tous les lieux que tu verras », me lança-t-il.

Mr Takafakare n'était guère apprécié par les personnes qui recouraient à ses services et il ne fit aucune objection quand je proposai de l'accompagner lors de ses déplacements professionnels. Il en profitait, entre deux quintes de toux et raclements de gorge, pour me raconter l'histoire des premiers ancêtres qui avaient fondé le village rasé. Quand il s'agissait de récupérer une charge imposante – par exemple un taureau qui avait succombé à la gangrène noire –, Mr Takafakare emportait la tronçonneuse. Un simple chariot était suffisant pour débarrasser les êtres de taille moyenne comme les chiens de combat, dont les dents avaient été acérées à la lime et les blessures ointes d'arnica dans un dernier effort pour prévenir l'hémorragie et ranimer l'animal. Quand il s'agissait de quelque chose de petit, disons un bébé mort de tuberculose, Mr Takafakare l'enlevait avec dignité en revêtant des gants.

Un jour, nous dûmes lever le corps d'une des puiseuses d'eau décédée sur la réserve. Nous la trouvâmes dans une masure, dont les murs étaient fissurés à la suite des nombreuses secousses telluriques, entourée d'un jardinet communal où du maïs rachitique luttait pour survivre sur le sol granitique. Madota monta dans la benne avec le corps, et moi dans la cabine à l'avant avec Mr Takafakare qui penchait la tête en arrière pour empêcher le sang de couler de son nez. Il ralentit, s'arrêtant presque, quand nous passâmes près de la mission.

— C'est là que la vieille dame est née. C'était ma cousine, dit-il dans un gloussement qui se transforma en toux. N'aie pas l'air surpris. C'était aussi mon village.

Un léger filet de sang s'étirait de sa narine à sa lèvre supérieure. Il hocha la tête en direction de sa fille.

— Elle aussi connaît toutes les histoires de notre village, cette idiote.

Je tournai la tête vers la benne. Madota s'était allongée sur le corps afin d'empêcher la couverture le recouvrant de s'envoler. Elle lui parlait, lui racontant sans doute des histoires sur ce village qu'elle ne connaissait pas. Mr Takafakare observa sa fille muette dans le rétroviseur.

— C'est sans importance, jeune homme. Nous avons perdu notre place dans le monde et nos histoires ne valent plus rien.

Les pluies, invoquées par les criquets en frai, s'abattirent sur les montagnes de l'Est et remplirent la vallée. La rivière déborda de son lit, de violents courants balayèrent la chapelle, laissant seulement dans la boue des tronçons de piliers chancelants, dont les silhouettes étaient impossibles à différencier des pierres tombales qui marquaient les sépultures des garçons et des domestiques morts depuis la fondation de la mission. Il y eut suffisamment de pluie pour faire déborder les jarres, pourtant les femmes continuaient à descendre à la rivière puiser de l'eau. Elles haussèrent les épaules quand je leur dis que Mr Takafakare avait une histoire à raconter sur chaque coin de la vallée. « Comment sais-tu qu'il dit la vérité ? » me demanda l'une d'elles.

Au long des jours gris qui suivirent, le champ dominant le kopje se transforma en marais charbonneux. Tandis que Mr Takafakare s'acharnait à entretenir son four malgré les pluies torrentielles, je restai à l'intérieur de sa maison avec Madota pour lui lire l'*Histoire des peuples de langue anglaise* que Churchill avait récoltée et compilée en plusieurs volumes ; son chef-d'œuvre était organisé en chapitres, livres, tomes – des divisions, régiments et bataillons de mots qui avançaient inexorablement jusqu'à submerger leur auditoire.

*

Ma condamnation prit fin après une série de mauvais présages. La terre vibra et fit trembler les fenêtres au-dessus du lit de camp que j'avais installé dans l'écurie, et je me réveillai sous des débris de verre. Profitant de l'ouverture, des corbeaux étaient allés se percher sur les poutres, maculant mon oreiller et mes draps de fientes blanches.

Quelques jours plus tard, Mrs Tippett sortit ses valises et son mari sur la véranda avant de fermer le presbytère à clé. Chassé de son nid, le Très Révérend contemplait son domaine derrière un rideau de pluie. Ses garçons, ses chevaux et ses domestiques lui avaient été enlevés et avaient été envoyés se battre dans deux camps adverses ; la mission ressemblait désormais à une base militaire rasée. Je tins un parapluie au-dessus de la tête de Mrs Tippett tandis qu'elle entreposait les détritus de sa vie à l'arrière de la Land Rover. Le Très Révérend avait planté sa foi au beau milieu d'une carte du monde mais, alors qu'il regardait autour de lui à travers le pare-brise, il semblait ne plus savoir où il était. Ils partirent, laissant les derniers bâtiments libres de s'effondrer et la terre libre de revenir à son état premier : un lieu profane, vierge, sans forme ni néant.

Le départ de Mrs Tippett et du Très Révérend ne changea rien à ma routine. Je me levais de mon lit de fortune tous les matins afin d'aller aider Madota à ramasser du basilic camphré pour son père mourant et à fouiller les cendres à la recherche de cartilages de doigt ou d'oreille qui agrémenteraient ses carillons. Au soleil couchant, je m'allongeais à côté d'elle sur le toit, entouré par les mouchoirs en train de sécher, et cherchais des formes dans les nuages parsemant le ciel rougeoyant, tandis que Mr Takafakare alimentait son four en écorces d'acajou et en cadavres. Les flammes brûlaient sans retenue, puisqu'il n'avait pas de pyromètre, et il estimait toujours la chaleur selon la force avec laquelle elle frappait son visage et irradiait ses poumons. La sueur séchait sur sa peau avant de quitter ses pores, la rendant aussi friable que les briques du four. D'après moi, il mourrait avant les prochaines pluies, toutes ses histoires scellées à l'intérieur de sa fille sans voix.

— Là, un cheval ! dis-je à Madota en désignant un nuage mais, déjà, le vent l'avait dispersé et on aurait dit qu'il avait le dos en feu.

Nous descendîmes du toit au crépuscule afin de prendre notre place parmi les volumes de l'*Histoire des peuples de langue anglaise*. Madota m'écouta tandis que je tricotais un tissu de légendes à étendre sur notre coin du monde ; mes mots résonnaient au-dessus de nos têtes comme la sourde musique de ses carillons. Alors que Churchill ambitionnait de parler de tous les peuples anglophones de la planète, moi, je m'en tenais aux coutumes de mon petit univers. La seule différence entre lui et moi, c'était la portée de nos obsessions.

Je me racontais aussi des histoires pour m'endormir, la tête posée sur les cuisses de Madota, et rêvais de nous, seuls dans la vallée telle qu'elle avait été à l'origine. *Une vaste étendue ininterrompue d'arbres anciens borde la rivière qui serpente. La montagne de granit crache du feu et du magma tandis que le sol ondule, volatil, sous nos pieds. Madota m'entraîne dans un verger de jeunes arbres fruitiers, communiquant avec moi grâce à la légère pression de ses doigts sur mon bras.*

Je me réveillai au bruit d'un raclement de gorge, la main sur la poitrine de Madota. Mr Takafakare nous surplombait.

— Peut-être que tu devrais partir, maintenant, jeune homme.

Le soleil dissipa les brumes et fit scintiller les dépôts de quartz sur la montagne de granit, m'obligeant à plisser les yeux pour observer la vallée depuis le réfectoire. Dans le verger, le vent retournait les feuilles d'abord côté ombre puis côté lumière. La nuit précédente, quelqu'un avait forcé la porte de la mission, fouillé le garde-manger, volé les couverts, les assiettes, la nourriture, les tables et les chaises ainsi que le cadre et le fond en feutrine bleue du Très Révérend. Les continents en papier voletaient à mes pieds.

Les puiseuses d'eau avançaient péniblement sur la piste qui traversait le domaine. Elles étaient moins nombreuses que lors de mon arrivée à la mission un an plus tôt. Quand elles étaient jeunes mariées, leurs époux avaient dû civiliser la vallée en construisant des semoirs, des citernes, des cuves de lavage, des réseaux d'irrigation, des barrages et une autoroute, tout ça pour que les bulldozers finissent par raser leur village. À présent, leurs veuves vivaient dans des maisons en briques au milieu de champs poussiéreux délimités par des grillages et leurs petites-filles prenaient l'eau au robinet.

Au loin, je pouvais voir les ombrelles colorées des marchands installés à l'entrée de la réserve. Une colonne de voitures blindées progressant sur l'autoroute les cacha un moment ; les énormes pneus des véhicules transformaient le bitume en gravillons. Un jour, en plein sermon, le Très Révérend avait mené de la chapelle à la rivière sa congrégation de domestiques et de garçons à problèmes. « Regardez, nous avait-il ordonné. Gravez cet endroit dans vos cœurs afin de pouvoir y revenir dans les moments les plus sombres. » Les garçons de la mission et les domestiques reviendraient dans la vallée pour s'affronter lors de la guerre de Libération, et aux tremblements de terre se substitueraient d'incessantes frappes de roquettes qui fissureraient le kopje sacré, révélant les squelettes accroupis des ancêtres du village.

Les ombres de la montagne avaient déjà tiré leur révérence quand j'arrivai chez Madota et les rayons du soleil inondaient la vallée de lumière. Les pluies venaient de cesser. Les criquets tout juste sortis de leur cocon pullulaient, dévorant les langues de rhoeo sur la fenêtre. Mr Takafakare se tenait au-dessus d'une vache découpée en deux morceaux. Je m'approchai pour l'aider à nettoyer la tronçonneuse mais il me chassa d'un geste de la main.

— Pourquoi est-ce que tu viens toujours nous déranger avec tes histoires ? Laisse-nous tranquilles, Gordon. Sinon, j'emmène Madota loin de toi.

J'éclatai de rire.

— Vous ne pouvez même pas quitter la vallée.

Les carillons de Madota tremblèrent bien qu'il n'y ait pas de vent et je compris que le sol était traversé de secousses. Mr Takafakare tenta de me menacer avec la tronçonneuse mais elle ne démarrait pas. Ivre de colère, il saccagea sa maison, donnant un coup de pied dans la marmite, renversant le seau d'eau, éparpillant la nourriture du carton pour le remplir avec les tomes de Churchill. Il déposa le tout à mes pieds.

— Prends-les et va-t'en.

Il voulut en dire davantage mais une violente toux l'en empêcha. Il se dressa devant moi, attendit que ses poumons s'apaisent, me souhaitant déjà au diable. Très vite, sa poitrine se figea, tout comme la terre cesserait un jour de frémir et de faire tinter les carillons de Madota.

Celle-ci m'observait depuis le seuil de la maison en désordre tandis que je descendais du kopje avec mon fardeau, l'*Histoire des peuples de langue anglaise*. Les voix éclatantes et essoufflées des puiseuses d'eau qui revenaient de la rivière me parvinrent plus bas, je posai mes livres et écoutai leurs pas cahotants, accompagnés du bruit sourd de leurs bâtons de marche et du vrombissement tellurique des plaques de granit mouvantes. Depuis toujours, ces femmes réunifiaient la vallée grâce à leurs légendes. Sans elles pour faire le lien, les criquets nomades ne pondraient plus leurs œufs qui provoquaient l'arrivée des pluies, la rivière se tarirait et la vallée deviendrait une fournaise où les lieux sacrés se déformeraient, déconstruisant le monde.

Les garçons turbulents

Novembre 1971

La Mission pour garçons difficiles avait été construite par des prisonniers sur un sol peu stable avec des résultats prévisibles. Les portes tombaient de leurs gonds. Les fenêtres tremblaient dans leur cadre. Jephthah, l'ancien boy et sonneur de cloches, arpentait le domaine dès l'aube avec un marteau afin d'enfoncer les clous rebelles dans des morceaux de bois ramollis par le temps et dévorés par les scarabées. Le bois avait été ramassé dans le verger voisin – prunier, cerisier, pêcher, poirier et pommier issus de graines semées dans des temps immémoriaux.

— Écoute-moi, novice ! Il y a vingt ans, ici, il n'y avait rien.

Izban, le cuisinier et sacristain en second, aimait raconter de vieilles histoires aux arrivants tandis qu'il les guidait lors de leur première journée à la mission.

— Il n'a fallu que six jours pour ériger tout ça, disait-il en balayant de la main le presbytère, le dortoir, le réfectoire, les écuries, la chapelle et les bâtiments annexes – vers le bord oriental de la Rhodésie –, et tout part à vau-l'eau depuis.

Les condamnés qui avaient construit la mission y avaient été traînés, enchaînés depuis le centre de détention préventive. Pendant six jours, leurs journées de travail avaient commencé et s'étaient achevées dans l'obscurité. Le dernier matin, l'un des prisonniers enfonça son marteau dans le crâne d'un gardien et tous les hommes s'enfuirent en direction de la rivière où ils périrent, pris dans les courants.

— Dieu est juste, conclut Izban.

L'ancien verger formait une canopée fragile au-dessus d'un kraal où des chevaux renâclaient, frappaient des sabots et agitaient la tête. Un groupe de garçons se réunit pour la prière aux chevaux devant un autel installé sur la pelouse du presbytère. Le granit de l'autel avait été charrié depuis la montagne qui surplombait la mission. La veille, j'étais arrivé tard et j'avais dormi sous une couverture pour chevaux, enfermé dans l'écurie, la tête posée sur une selle.

La Mission pour garçons difficiles était une institution de dernier recours pour les jeunes délinquants blancs de notre nation, voleurs à la sauvette, brutes, voyous essentiellement – des colosses qui avaient grandi dans des maisons de correction et des centres éducatifs fermés.

Des papillons voletaient autour des plants de réglisse adossés au rectorat. Une silhouette traversa la pelouse dans notre direction. Le soleil faisait briller sa tenue si blanche et éclatante qu'elle absorbait tout pli et toute ombre.

— Cuisinier !

— Oui, Adam, répondit Izban en se redressant.

En tant que sacristain et garçon d'écurie, Adam incarnait l'autorité de l'employeur et chef spirituel, le Très Révérend, et celle de sa femme, Mrs Tippett. Une image grossière de saint Antoine, sculptée dans de la fonte brute, pendait à une chaîne autour de son cou.

— Va chercher les autres domestiques, ordonna-t-il.

Izban cracha quand le sacristain tourna le dos :

— Tu vois comment il marche, *sha sha sha*, avec son costume saint et sa médaille religieuse. Écoute-moi bien :

Adam était ici quand la mission a été construite. Mais il ne s'est pas précipité dans la rivière comme les autres. C'était un jeune garçon, assez maigre pour sortir ses poignets des menottes.

Le cuisinier me regarda comme s'il me voyait pour la première fois.

— Toi, novice, tu aimes les histoires ?

Je hochai la tête.

— Bien ! Tu partiras d'ici des histoires plein la tête.

Izban m'abandonna devant le dortoir. À l'autre bout de la pelouse, le Très Révérend, fondateur et ministre autoproclamé de l'Église anglicane indépendante du Manicaland, s'installa derrière l'autel. Il se dressa sur la pointe des pieds, se tint bien droit, tentant de se grandir le plus possible – aidé en cela par une haute coiffure figée à la gomina.

— Arrête de fixer ces gens et viens avec moi, me dit Mrs Tippett.

Elle avait passé un pull par-dessus sa robe informe et tenait un bloc-notes contre sa poitrine afin de se préserver de mon regard indécent. Excepté un bracelet d'anémones tressées, elle ne portait pas de bijoux. Je la suivis au dortoir où je purgerais ma peine de treize mois, pour cause de voyeurisme.

*

Le dortoir sentait la transpiration, le phénol et le serpent mort, ce qui obligea Mrs Tippett à respirer par la bouche tandis qu'elle vidait mon sac et examinait mes affaires. Elle confisqua les jumelles de mon père, son couteau suisse et sa plaque de l'armée.

— Ces objets seront vendus afin de couvrir tes frais de nourriture et de logement, dit-elle en ignorant mes protestations.

Dehors, la messe du Très Révérend avait commencé.

— Nous sommes ici réunis devant Dieu très grand, déclara-t-il, afin de bénir ces chevaux au nom de saint Antoine. Seigneur, vois d'un œil bienveillant cette camaraderie entre hommes et bêtes.

Il retroussa les lèvres, révélant des dents aussi parfaitement qu'étonnamment noires. Les récipiendaires de sa bénédiction tournaient en rond dans le kraal. Une jument alla se placer à la tête du troupeau. Ses membres postérieurs étaient recouverts d'acier du sabot au paturon. C'était une créature aux proportions étranges, avec une petite encolure mais une croupe impressionnante. D'après Izban, elle aimait donner des coups de sabot. Je comptai trente-huit chevaux dans le kraal, sans la jument. Un pour chaque garçon.

— Prends ça.

Mrs Tippett posa sur mes bras tendus deux minces couvertures en laine, un oreiller en mousse, une bible et un emploi du temps rédigé sur une feuille de papier.

— Tu dormiras ici, indiqua-t-elle en désignant un lit de camp installé entre deux lits superposés. Nous n'avons plus de lits, ajouta-t-elle sans marquer le moindre regret. Le Très Révérend va bientôt venir te voir.

Je restai debout, immobile, tenant toujours mes nouvelles affaires à bout de bras ; elle sortit du dortoir à la hâte.

À travers la fenêtre, je pouvais voir chaque garçon sortir sa monture du kraal pour qu'elle soit bénie. Dans l'ensemble, ils avaient un visage renfermé, hâlé et constellé de taches de rousseur, les cheveux blondis par le soleil. Ils étaient élancés après des mois passés à cheval. L'un des garçons eut du mal à franchir le portail.

— Tiens-le bien, lui dit le Très Révérend. Les chevaux veulent un maître.

Il plissa les yeux face à l'animal devant lui.

— Nous remettons cette bête entre Vos mains. Faites-en un instrument de Votre volonté.

Il fallut deux domestiques pour sortir la jument du kraal afin qu'elle soit bénie. Un troisième, Izban, incitait le cheval à avancer en lui faisant miroiter de la réglisse. Tous trois gardaient les yeux fixés au sol, prenant garde que la jument ne leur écrase pas les pieds avec ses sabots d'acier. Celle-ci se cabra en approchant de l'autel, refusant la bénédiction, la tête penchée, le poids porté vers l'avant, prête à ruer.

— *Chenjerai !* lança Izban en shona.

« Attention. » Les domestiques lâchèrent la bride et reculèrent.

— Parle anglais, le tança Adam. C'est le langage de Dieu.

Il agita les mains dans tous les sens et cria après la jument, qu'il poursuivit à l'intérieur du kraal sans qu'elle ait été bénie.

Le sol trembla quand les cavaliers formèrent une file pour recevoir l'eucharistie. Adam tenait la patène sous les mains du Très Révérend au cas où il ferait tomber une hostie. Les bâtiments faits de bric et de broc soupirèrent sur leurs fondations. Derrière la porte du kraal, la jument se tenait droite, les oreilles en avant, attentive aux moindres mouvements d'Adam.

Le Très Révérend tendit les mains, paumes vers le bas, et la congrégation s'agenouilla devant lui.

— Que cette mission serve de flambeau sur ce continent obscur. Amen.

— Amen, répéta la congrégation.

Après la bénédiction, le Très Révérend vint me saluer depuis le seuil du dortoir.

— C'est toi, le voyeur ? dit-il.

Il tenait un réchaud plein de racines de réglisse.

— Ne baisse pas la tête, Gordon. Tu n'es ni le premier ni le dernier à avoir été tenté ainsi. Ma femme t'a installé ?

— Elle m'a volé des affaires.

— Dieu va accueillir ton âme éternelle. Ne rechigne pas sur le reste.

Il reporta son attention sur les racines de réglisse.

— Ça vient du jardin du presbytère. Tout pousse, ici.

— Quand est-ce que je vais apprendre à monter à cheval ? demandai-je.

Il tripota un bout de racine de ses doigts boudinés.

— Après ton baptême.

— J'ai déjà été baptisé.

— Pas par moi.

Le Très Révérend plaça un bout de racine sur sa langue et se replia en lui-même, fermant la bouche et les yeux, se retirant un instant du monde.

— La réglisse est appréciée depuis le temps du roi Salomon, dit-il enfin.

Il passa sa langue noire sur ses lèvres violettes.

— On enterrait les pharaons avec. C'est grâce à ça que Napoléon a tenu le coup sur le champ de bataille. La réglisse soutient l'effort, procure un équilibre spirituel, diminue la libido, soulage la constipation. Prends-en.

La réglisse me procura comme un choc électrique et ma bouche s'emplit de salive chaude. Je sentis deux filets de bave couler aux commissures de mes lèvres et dégouliner sur mon menton. Quand je déglutis, ma gorge et mes sinus s'enflammèrent.

Le Très Révérend m'observa un instant.

— Comment comptes-tu mettre à profit ton séjour ici ? m'interrogea-t-il.

— J'aimerais trouver Dieu, dis-je avec ferveur, pensant que c'était ce qu'il voulait entendre.

Il bondit et me plaqua contre le mur, coinçant son avant-bras sur ma gorge.

— Écoute-moi bien, espèce de petit pervers. Ne va pas croire que tu peux te moquer de moi.

Je hochai la tête, incapable de parler.

Il me relâcha et se tourna vers la porte.

— Tu t'en sortiras très bien, ici, novice. Garde simplement les yeux rivés sur les Saintes Écritures et loin des fenêtres. Les autres garçons vont venir te dire bonjour.

Je dépliai le lit de camp et m'y allongeai. Peu de temps après, un groupe de garçons envahit le dortoir. Ils portaient des ceintures, des bracelets et des cravates en peau de serpent. Une odeur rance se dégageait de ces accessoires mal entretenus. Les garçons formèrent une ligne devant mon lit, du plus jeune au plus vieux. Ils me frappèrent chacun cinq fois tout en modulant une chanson étrange, le premier coup donné avec la phalange du pouce replié, *Tom Thumper*, le deuxième avec la phalange de l'index pointée vers l'avant, *Ben Bumper*, puis la phalange du majeur, *Long Larum*, puis la phalange de l'annulaire, *Billy Barum*, puis un coup de travers de la phalange de l'auriculaire, *et Little Oker Bell!*

L'emploi du temps de Mrs Tippett réglait mes journées : lever peu avant l'aube ; nettoyage des écuries ; un œuf dur pour le petit déjeuner ; ramassage des débris sur le terrain de la mission ; arrosage et désherbage des plants de réglisse du Très Révérend ; un autre œuf pour le déjeuner ; deux heures de lecture de la Bible et une heure de prière obligatoire menée par Adam ; au lit avant le couvre-feu, bercé par le croissant de lune argenté, visible à travers la fenêtre du dortoir avant qu'il disparaisse derrière la montagne.

Quand je finissais de nettoyer les écuries, les autres garçons avaient déjà sellé leur monture et quitté la mission, criant comme des cow-boys et frappant le sol à la recherche de serpents. Je ne les revoyais que le soir lorsqu'ils me brutalisaient de nouveau. Ils refusaient de me parler et pourtant leurs coups ne contenaient pas la moindre rancœur ni violence inutile. Je compris vite comment me protéger et me recroquevillai sur moi-même, la tête sous mon oreiller. Ensuite, je restais immobile sur mon lit pendant que les garçons massaient leurs cuisses courbaturées avec un savon au phénol, parlaient entre eux à voix basse, se soûlaient avec du vin fermenté au serpent et s'endormaient par tas de deux ou trois.

*

Les pluies parvinrent à la vallée, noyant les fondrières, les pierres, les racines, et les chevaux se mirent à avancer prudemment. La jument frappait le sol de ses sabots imposants, se roulait dans la boue, se cabrait et ruait. Personne ne franchissait le portail du kraal si Adam n'était pas là pour calmer la bête. Les fondations des bâtiments s'enfonçaient dans le sol. Les portes en bois fruitiers gonflaient dans leur cadre et il fallait les ouvrir d'un coup d'épaule. Quand le sol était trop détrempé pour monter à cheval, les garçons boudaient dans les écuries sans autre occupation que de se balancer du purin.

Des choses disparurent : la clochette de messe, un coupe-papier, le réchaud à racines de réglisse du Très Révérend. Après chaque vol, Adam nous réveillait au milieu de la nuit et choisissait au hasard celui qui serait fouetté. Le nombre de coups variait selon l'humeur du Très Révérend, la couleur des cheveux du garçon, le fait qu'il était droitier ou gaucher. Les garçons roux et gauchers comme moi étaient jugés les plus réfractaires à la discipline et recevaient une punition améliorée. « Père, disait le Très Révérend en brandissant la ceinture au-dessus de sa tête, permets à ce jeune homme de tirer profit des souffrances que Tu as placées sur son chemin ! » L'Église anglicane indépendante du Manicaland n'était pas subordonnée à l'archevêché de Canterbury ; le Très Révérend n'avait de comptes à rendre qu'à Dieu et au directeur du département des prisons.

Les pluies s'éloignèrent des montagnes et la terre absorba l'eau. « Un temps à chevaux », disait Adam, un temps où le troupeau s'ébattait et cabriolait, le pas assuré. Chaque sabbat, le Très Révérend m'exhortait à me soumettre au baptême. Si je cessais de m'obstiner et me rachetais devant Dieu, je pourrais apprendre à monter à cheval. Il promettait aussi de me donner le courage de marcher sur les reptiles, de défier mes ennemis, et je prendrais alors ma place parmi la meute de garçons qui fondaient sur la montagne et sur le bush pour débarrasser la vallée des serpents.

Comme tous les serviteurs, Adam n'avait pas le droit de monter à cheval. Le Très Révérend craignait qu'il ne dérobe une des montures pour galoper vers le Zambèze où il rejoindrait la guérilla. Parfois, du coin de l'écurie, profitant d'une pause dans mes corvées, je regardais le sacristain contempler l'horizon, par-delà le pré, la chapelle, la rivière. La jument se tenait immobile dans le kraal, les oreilles en avant, parfaitement concentrée sur la même ligne.

En accord avec le régime imaginé par le Très Révérend pour le salut des âmes des garçons à problèmes, on ne nous servait pas de dîner ; selon lui, se coucher l'estomac plein favorisait les rêves. Quand j'étais trop affamé pour m'endormir, je défiais le couvre-feu, rampais entre les lits, où les garçons offraient des visages étonnamment innocents, et me rendais dans le réfectoire afin d'observer les domestiques qui jouaient aux cartes et discutaient. Izban, le cuisinier et sacristain en second, racontait des histoires tandis qu'Elon, le garçon de cuisine et d'autel, spéculait à voix haute sur les cartes de ses adversaires. Jephthah, le vieux boy sonneur de cloche, assis en silence face aux deux hommes, acceptait sans protester les cartes qu'on lui distribuait. C'étaient tous d'anciens prisonniers, libérés sur parole, embauchés et baptisés le même jour. En échange d'un emploi, le Très Révérend leur avait donné un nom tiré de l'Ancien Testament et imposé un rôle dans son ministère. Un jour, passant par la sacristie, je vis la bible ouverte sur le Livre des Juges. Si un domestique s'enfuyait, son nom était rayé de la page.

Quand les Juges d'Israël se retiraient pour la nuit, j'errais sur le domaine, jetant un œil par les fenêtres obscures, me faufilant dans les bâtiments où étaient remisés le tracteur, les selles, les outils. Bien que les pluies aient cessé depuis longtemps, les toits plats ployaient sous le poids de l'eau stagnante où pullulaient les moustiques. À cette heure, on pouvait apercevoir les éclaireurs des Forces de sécurité de la

Rhodésie qui arpentaient les steppes à cheval telle une horde de centaures.

L'hiver arriva à la mission. Le sol s'asséchа et se rida comme une momie. Pendant les messes en extérieur, je m'asseyais sur la pelouse à côté de Mrs Tippett, nos mains jointes en prière. Elle portait un simple tailleur gris en laine et son bracelet de fleurs tressées, seul bijou autorisé par le Très Révérend. Tandis que son mari divaguait dans des sermons où les œufs jouaient un rôle essentiel, je sentais la moiteur de sa paume qui trahissait son malaise. Après la messe, Izban préparait une énorme miche de pain.

Onze mois de ma peine passèrent ainsi. On trouve un réconfort précaire dans l'isolement et la routine. L'esprit, désengagé du monde, se libère.

*

Il faisait encore nuit quand la jument s'échappa du kraal et galopa à travers tout le domaine. À l'aube naissante, j'admirai le spectacle au côté de Mrs Tippett. Ses dents brillant à la lueur évanescente de la lune, la jument progressait à reculons, tirant sur sa longe pour résister aux Juges d'Israël. Le Très Révérend était en déplacement au centre de détention provisoire, à œuvrer pour le Seigneur. Les Juges s'efforçaient d'éviter les ruades de la jument. Jephthah trébucha, les autres lâchèrent la longe et s'éparpillèrent, laissant la jument libre de ses mouvements.

Les autres chevaux frappaient le sol, rendus nerveux par les pitreries de la jument. C'était la troisième fois en trois jours qu'elle s'échappait, apportant une distraction bienvenue dans la monotonie et la tyrannie de notre instruction religieuse. L'un des sabots de la jument frappa Jephthah sous le menton et déchira sa mâchoire dans le sens de la longueur.

— Seigneur, pria Mrs Tippett. Donnez-moi la force de supporter les chevaux meurtriers, les Africains et les garçons turbulents.

Elle me jeta un regard insistant.

Les lèvres plissées, Mrs Tippett contemplait la jument en train de se rouler dans les plants de réglisse. Les chevaux et la réglisse constituaient les seuls luxes du Très Révérend, qui prétendait les aimer plus que toute autre chose dans ce monde et celui d'après.

— Va chercher Adam, me dit Mrs Tippett.

Se détournant de moi, du cheval fou, des plants de réglisse saccagés, des domestiques blessés, de tout en fait, elle se retira dans le presbytère après avoir éteint la lumière de la véranda.

La chapelle avait été construite sur pilotis près de la rivière afin de faciliter les baptêmes. Chaque année les piliers s'enfonçaient de quelques centimètres supplémentaires dans la vase et, à présent, toute la structure penchait tristement. Des cales de bois avaient été placées sous les roulettes de l'orgue pour éviter qu'il ne finisse dans l'autel.

Je trouvai Adam sur les marches. Il astiquait une assiette en argent avec du citron et du sel. Un papillon se posa sur son chiffon et le sacristain me regarda, ravi.

— Il goûte avec ses pattes, me dit-il.

La soutane d'Adam était pleine de petits trous, dus à un excès de lavages à la javel.

— La jument fait encore des siennes, lui appris-je.

Adam détourna les yeux du papillon.

— Elle a frappé Jephthah au visage, continuai-je. Elle est dans la réglisse, maintenant.

Adam partit en courant vers le presbytère, soulevant les pans de sa soutane pour ne pas trébucher. Je lui emboîtai le pas, dépassai les écuries mal entretenues, le dortoir plongé dans la pénombre où les garçons turbulents dormaient d'un sommeil épuisé et sans rêves. Lorsque nous arrivâmes au presbytère, le cheval et les domestiques semblaient observer une trêve fragile. La jument se tenait parmi les plants de réglisse retournés, les oreilles plaquées en arrière. Jephthah gisait dans la boue, les autres Juges étaient accroupis près de l'entrée de la cuisine, prêts à s'y réfugier si la jument leur fonçait dessus.

Adam déposa sa soutane sur la clôture et, tourné vers la montagne, il frotta des herbes entre ses mains. Intriguée par le doux bruissement et par ce qu'elle crut être de l'indifférence, la jument s'approcha du sacristain dont elle effleura gentiment la joue avec ses naseaux. Si les papillons goûtaient avec leurs pattes, qui sait comment Adam et la jument se comprenaient ?

— Mwari ! lança Izban, émerveillé, tout en ouvrant le portail du kraal pour Adam et la jument.

Adam gifla le cuisinier.

— Mwari est le dieu des bêtes.

Au passage, la jument vola la soutane pendue à la clôture et pénétra dans le kraal au galop, agitant l'habit entre ses dents comme un drapeau, la tête et la queue fièrement dressées.

Tout en se frottant la joue, Izban regardait Adam courir après la jument.

— Adam ouvre la bouche et les paroles du Très Révérend en sortent, dit-il en me reluquant de travers. Tu sais que c'est Adam qui a tué le gardien de prison d'un coup de marteau il y a des années ? Il en parle encore dans son sommeil. Mais il a eu l'intelligence de ne pas s'enfuir. Bien sûr, le Très Révérend refuse de croire qu'un homme au visage si doux ait pu commettre un tel acte.

Je retournai aux écuries afin de les nettoyer – le spectacle était terminé. Les murs étaient maculés d'un mélange de paille et de purin que je grattais sans enthousiasme. Le régime prescrit par le Très Révérend m'avait affaibli et mis en colère. M'appuyant sur le manche de ma pelle, je contemplai la montagne. Une fine colonne de fumée montait de la clairière où s'étaient retirés les éclaireurs. Avant la saison des pluies, il faudrait mettre les terres au repos et semer de l'herbe à pigeon. Quand je sortis des écuries, je vis Adam qui tentait de faire démarrer le tracteur sans y parvenir. Depuis le kraal, la jument l'observait aussi, frappant le sol pour attirer son attention. Les sabots en acier faisaient des étincelles sur les cailloux.

— Le cuisinier affirme que tu as tué un gardien de prison, lui dis-je.

Adam se figea.

— Izban est idiot.

Il descendit du tracteur et fit face à la jument, dont l'une des oreilles était pointée vers l'avant, en direction de la rivière et de la montagne au-delà, et l'autre vers l'arrière, en direction de la mission.

— Un cheval peut regarder dans deux directions à la fois. Quand ses oreilles sont orientées différemment, ses yeux aussi, m'expliqua-t-il, puis il se tourna vers moi. Pourquoi refuses-tu le baptême ? Tu aimes te faire battre ?

Je n'avais pas de réponse à ces questions.

Adam souleva le capot du tracteur, se pencha sur le moteur et découvrit l'espace vide à côté.

— Quelqu'un a volé la batterie, dit-il en s'essuyant les mains sur son pantalon.

L'oisiveté est l'ennemie des esprits troublés, avait écrit Mrs Tippett sur un panneau qu'elle avait accroché au-dessus de la porte du dortoir. Après avoir nettoyé les écuries, je me rendis au réfectoire afin de mettre le couvert pour les autres garçons.

Je m'arrêtai devant la fenêtre de la cuisine. Sur la gazinière bouillait une marmite remplie d'eau et d'œufs. Izban découpait des côtes de porc pour le Très Révérend. Nous n'avions pas droit à la viande, jugée trop sanguine pour des garçons perturbés. Assis à la table, Jephthah se tenait la mâchoire. Elon aiguisait un couteau sur une pierre. Il cracha en direction du kraal.

— Quand Baba Zai reviendra, il brisera l'échine de ce cheval ou lui tirera dessus, loué soit Dieu.

J'avais découvert que les domestiques appelaient leur employeur *Baba Zai* quand ils pensaient que personne ne les entendait. Père l'Œuf. L'insulte était d'autant plus grande qu'elle était proférée en shona.

Izban recouvrit les côtes de porc d'une page de journal afin d'éloigner les mouches.

— Il ne tirera jamais sur cette créature. Viens peler les carottes.

Les carottes étaient pour moi. Le Très Révérend imaginait un régime pour chacun d'entre nous selon ses défauts. En tant que voyeur, mon déjeuner se résumait à des carottes à l'eau censées assainir mes pensées, et à un œuf dur. Mais tout le monde avait droit à un œuf dur.

Elon pelait les carottes pendant qu'Izban enveloppait le visage ensanglanté de Jephthah dans un chiffon. La mâchoire virait au violet là où le sabot l'avait percutée.

Izban parla d'une voix douce au vieux boy.

— Tout va bien, Jephthah.

Puis, à Elon :

— On a besoin de la lotion pour cheveux du Très Révérend.

Elon acquiesça.

— Pourquoi Baba Zai insiste-t-il pour mettre des fers pareils à son cheval ?

Izban noua le chiffon sous le menton de Jephthah.

— Pour cacher ses orteils.

— Tu veux dire, ses sabots, lançai-je par la fenêtre.

Le cuisinier plissa les yeux.

— Je sais ce que je dis. Ce cheval n'est pas naturel. C'est pour ça que le Très Révérend cache ses pieds avec ces fers.

— Ne fais pas attention à lui, me dit Elon tout en agitant son couteau. Viens, entre.

Je restai à la fenêtre. Par les lattes des volets, des bribes de soleil matinal tombaient sur le mur ouest. Des générations de domestiques avaient poncé et poli le sol en béton, à présent lisse comme du marbre.

— Peu de temps avant la naissance de la jument, sa mère a été tuée par un léopard, raconta Izban. La pouliche est sortie sans être tout à fait finie. Dieu est juste.

Le cuisinier m'étudia un instant.

— Tu veux une tasse ?

Il retira les œufs de la marmite et en versa l'eau bouillante sur du café instantané.

— Quelle quantité de sucre ça peut supporter, un garçon comme toi ?

Jephthah gémit piteusement. J'avais quatorze ans et les problèmes des autres ne me concernaient pas. Je regardai le cuisinier verser du sucre dans ma tasse jusqu'à ce que le breuvage devienne épais.

Le Très Révérend revint avec la lune ascendante et ordonna à Adam de nous sortir du lit. Nous nous alignâmes devant l'autel en sous-vêtements. La batterie volée du tracteur traînait dans la boue. Les cheveux du Très Révérend étaient en bataille, une mèche de sa coiffure Pompadour lui tombait sur l'œil.

Un murmure traversa le groupe de garçons.

— Ravalez vos langues ! aboya Adam.

Assise sur la véranda, Mrs Tippett brodait un napperon pour l'autel. Les Juges d'Israël vidèrent le dortoir, sortant tout sur la pelouse, retournant les matelas et fouillant les casiers. Le vent poussa hors de la pelouse une des couvertures qu'Adam rapporta à Izban.

— *Mazviita*, lui dit le cuisinier, le remerciant.

— En anglais ! siffla Adam.

Campé devant l'autel, le Très Révérend regardait les Juges procéder à la fouille. Il fourra sa main dans sa poche à la recherche de son peigne, sans le trouver. Izban jeta par terre le contenu du dernier casier et leva les yeux vers son employeur tout en secouant la tête.

Le Très Révérend cracha dans sa main pour se recoiffer avant de s'adresser à nous.

— J'ai trouvé cette batterie dans le kraal. Une découverte intéressante. Quelqu'un avait répandu de la réglisse sur les fils. Quand la jument les a léchés, elle a reçu un coup de jus terrible. Est-ce que quelqu'un veut s'attribuer le mérite de cette plaisanterie ?

Personne ne se manifesta.

Il s'avança et approcha son visage du mien, humant mon haleine dans l'espoir d'y trouver l'odeur de sa lotion capillaire dérobée.

— Tu es plutôt rusé, je te l'accorde, me dit-il, pour un sauvage.

Il pivota sur lui-même et se précipita sur la véranda, où il saisit Mrs Tippett par le bras.

— Je vous ai donné la possibilité de vous confesser et de vous racheter, cria-t-il, mais vous l'avez rejetée. Par conséquent, cette femme, bonne et innocente, va payer pour vos erreurs. Dès maintenant, Mrs Tippett va commencer à replanter la réglisse et elle n'arrêtera qu'au moment où le responsable se sera dénoncé et viendra prendre sa place. Pensez-y quand vous serez retournés au lit, et soyez rongés par le remords et la culpabilité.

Après que tout le monde se fut endormi, je quittai le dortoir. Dans la lueur australe, je pouvais voir les cicatrices laissées sur la pelouse par la jument, lors de son affrontement avec les Juges d'Israël. Une ombre se déplaçait lentement le long du mur du presbytère : Mrs Tippett, à genoux dans la réglisse, recouvrait de terre les racines mises à nu. J'écoutai les léopards, les hyènes et les éclaireurs qui chassaient les animaux descendus à la rivière pour boire sous le couvert de la nuit. Les éclaireurs étaient arrivés sur nos hauts plateaux de granit l'année précédente afin de battre le bush à la recherche de guérilleros. Ils avaient tué la plupart de ceux qu'ils avaient trouvés, pourchassé les rares survivants qui fuyaient au Botswana, puis étaient revenus dans la vallée ; visiblement, leur rôle dans cette histoire n'était pas terminé. Il était minuit passé quand le Très Révérend autorisa enfin sa femme à s'épousseter bras et jambes et à rentrer dans le presbytère.

Mais au lieu de la rejoindre, il traversa la mission jusqu'aux écuries. La jument y était, les oreilles en arrière. Adam aussi. Je me postai sous une des ouvertures.

— C'est un cheval au sang chaud, un bon chef de troupeau, dit le Très Révérend. Tu vois ce défaut ?

La jument dressa une queue en forme de S.

— On va l'en débarrasser.

Adam fixait le sol du regard.

— Vous disiez que ce serait un péché de la dresser.

— Elle a presque neuf ans. Je jure sur ma foi que je ne la laisserai pas rencontrer son Créateur sans avoir été bénie, comme un vulgaire rat des champs.

Le Très Révérend s'approcha de la jument. Sur sa paume bien à plat, il y avait des morceaux de sucre. La jument les renifla avant de les prendre. Elle hennit doucement alors que le Très Révérend lui caressait la croupe, le dos et les naseaux. Puis, sans prévenir, il ramena son poing en arrière et frappa l'animal derrière les oreilles. Les membres antérieurs de la jument plièrent, mais elle lutta pour ne pas s'effondrer sur le côté et y parvint.

— Tu vois ? La plupart des chevaux se seraient écroulés.

Adam détourna les yeux et jura à voix basse en shona.

— Parle anglais, gronda le Très Révérend. Le diable aimerait que nous vivions dans la confusion de la tour de Babel. Ne participe pas à son projet.

Il fit passer entre les jambes arrière de la jument une corde épaisse qu'il enroula autour de la couronne d'un pied puis accrocha sans forcer au licol.

— Tiens bien, dit-il à Adam et, tous les deux, ils tirèrent sur la corde, forçant la jument à relever un membre postérieur et à se tenir sur trois jambes, incapable de déplier le genou attaché.

Ils menèrent la jument boitante dans le kraal ; maintenant elle sautillait, s'évertuant avec fureur à se libérer de la corde. Enfin, épuisée, elle se mit à trembler et à hennir. Le Très Révérend lui offrit de nouveau un morceau de sucre et lui parla calmement, faisant claquer sa langue, sifflant, lui caressant l'encolure. Pendant ce temps, Adam alla chercher un tuyau et arrosa la terre sous les pieds du cheval. Quand la terre fut saturée d'eau, le Très Révérend poussa la jument qui s'effondra dans la boue, impuissante. Puis, armé d'un sac de jute rempli d'on ne savait quoi, il la frappa au cou, aux membres antérieurs, au garrot, passant ensuite à son ventre et à ses parties génitales jusqu'à ce qu'elle respire avec difficulté. Les chevaux ont la peau fine, sensible à la moindre pression ; la jument rabattit les oreilles sur sa crinière hérissée et retroussa la lèvre supérieure en montrant ses dents au Très Révérend. Au bout de deux heures de ce traitement, elle finit par s'immobiliser dans la boue.

— Ça suffit pour aujourd'hui, dit le Très Révérend en se relevant. Elle est à moitié soumise.

Il s'éloigna en direction du presbytère, laissant Adam passer du beurre sur les blessures du cheval.

Les éclaireurs persistaient à occuper la montagne. Ils arpentaient la réserve à cheval, éteignaient les feux, piétinaient les champs de maïs, forçaient les habitants à payer des taxes sur leur case, leur étal au marché, ou simplement pour avoir le droit de sortir la nuit. Le lieutenant régnait sur la vallée comme un seigneur de guerre.

La nuit suivante, nous entendîmes les hennissements plaintifs de la jument tandis que le Très Révérend la battait de nouveau à coups de sac. Certaines résolutions sont plus difficiles à rompre qu'à tenir et, bien que le Très Révérend regrettât sans doute sa promesse, il ne pouvait plus faire machine arrière.

Je continuais de hanter les abords de la cuisine après l'extinction des feux, attiré par la lumière. Des mouches et une odeur pestilentielle montaient des peaux de serpent empilées sur le rebord de la fenêtre, m'obligeant à respirer à travers la manche de ma chemise pour épier les domestiques.

Assis à la table avec Elon, Izban fumait une cigarette roulée.

— Il est assez soûl ?

Elon grattait des restes de chair accrochée à une peau de serpent avec son couteau cranté. Les yeux du reptile brillaient toujours avec férocité. Elon jeta un regard sous la table.

— Non.

— Fais-le quand même. On n'a plus de lotion. Jephthah, c'est l'heure.

Je perçus un grognement étouffé sous la table et me hissai par-dessus les peaux de serpent afin de mieux voir.

Izban releva la tête.

— Ho, ho. Le garçon espion.

Il tendit sa cigarette à Elon et se leva.

Perdant l'équilibre, je tombai tête la première dans la pile de peaux lisses et sèches. Izban enroula sa main autour de mon poignet et me mit debout.

— Tu ne dors pas encore, hein ? Allez, viens, dit-il. Je vais te donner un truc qui t'aidera.

Quand j'entrai, Elon m'observa de ses yeux veinés de rouge, à travers la fumée.

— Pourquoi t'es toujours en train de nous espionner ? me demanda-t-il en m'offrant sa cigarette. Tiens.

Le mégot scintillait à peine et le bout était humide de salive. Les doigts d'Elon étaient visqueux de sécrétions de serpent.

— Je n'en veux pas, répondis-je.

Il se pencha et m'attrapa le bras en me regardant avec intensité.

— Tu ne vas pas nous dénoncer, hein ? Sinon peut-être qu'on dira à Baba Zai qu'on t'a surpris en train de mater sa femme par la fenêtre.

Un immense sourire étira le visage d'Izban et Elon lâcha mon bras.

— C'est juste un peu de chanvre, dit le cuisinier. Allez, viens fumer avec nous. On est tous des gamins turbulents, ici.

Dehors, les hyènes communiquaient entre elles. Izban me sourit.

— Même Baba Zai était un gamin turbulent, autrefois. Il était jockey avant de s'autoproclamer Très Révérend. Jephthah l'a vu courir à Borrowdale Park. N'est-ce pas, Jephthah ?

L'intéressé hocha piteusement la tête. Deux bouteilles vides de tonique capillaire et une boîte de matériel de pêche ouverte se trouvaient à côté de lui.

— Monter à cheval, c'est le don du Très Révérend, continua Izban.

Il prit la cigarette d'Elon, tira dessus puis me la tendit.

— Quand il est devenu trop vieux pour monter, il s'est reconverti en bookmaker. Il avait une sacrée réputation. On a tous plusieurs vies. Garde la fumée dans tes poumons.

Je retins ma respiration.

— Oui, comme ça. Alors, dis-moi : c'est quand même meilleur qu'un œuf dur, non ?

Le chanvre avait un goût de boue fétide. Je me calai sur ma chaise, le cerveau embrumé, tandis qu'Elon enfonçait un torchon dans la bouche de Jephthah pour absorber le sang et étouffer ses cris. Izban transperça alors la joue du boy à l'aide d'un poinçon avant de lui recoudre la mâchoire avec du fil de fer.

*

Chaque matin, nous trouvions la jument trottant dans le kraal, la queue toujours dressée en forme de S. Les autres chevaux l'observaient avec curiosité. Sur le chemin du réfectoire, nous évitions de regarder Mrs Tippett agenouillée dans les plants de réglisse de son mari, dont elle s'occuperait jusqu'à la mi-journée.

D'autres choses continuaient de disparaître. Une boîte de conserve de pâté. Un sac de sel. Adam et Izban procédaient à un inventaire quotidien du garde-manger. L'état de la mâchoire de Jephthah continua d'empirer ; bientôt il ne put plus parler, ni absorber de nourriture solide, ni marteler les clous rebelles – des planches de bois commencèrent alors à tomber des bâtiments comme des feuilles mortes. Jephthah travaillait pour la mission depuis dix-huit mois, ce qui faisait de lui le plus ancien employé, hormis Adam qui était là depuis le début. Le Très Révérend décida de le faire compagnon de Saint-Antoine avant de l'envoyer mourir sur la réserve.

Il y eut une petite cérémonie d'investiture. Adam, qui avait reçu la médaille trois ans auparavant pour avoir repeint les écuries, parraina Jephthah que le Très Révérend avait enveloppé d'une cape noire. « Pour les nombreux services rendus à cette mission, je te fais compagnon de Saint-Antoine, le plus grand honneur que l'Église anglicane indépendante du Manicaland puisse conférer à un laïc. Que ton exemple soit une source d'inspiration pour les garçons. » Adam aida le boy complètement ivre à se relever et le Très Révérend lui passa la médaille autour du cou. Jephthah, compagnon de Saint-Antoine, serait escorté jusqu'à la réserve dès le lendemain.

L'harmattan balaya la vallée pendant la nuit et j'avais la bouche sèche quand je me levai pour aller exposer ma requête au Très Révérend.

Excepté la véranda, le presbytère était exempt d'ornements architecturaux. Le Très Révérend y avait fait construire un plafond bas afin d'économiser sur le chauffage et pour se donner une illusion de grandeur. À travers la fenêtre ouverte sur le petit salon, j'étudiai la reproduction d'une peinture gothique : saint Antoine, affublé d'une cape noire et d'une auréole dorée, se tenait sur un piédestal et s'adressait d'un air mélancolique à un public de pauvre hères et d'animaux de ferme. Le tableau était adossé à un mur du salon, juste sous l'endroit où il avait été accroché, avant que le fil de fer ne soit dérobé.

Le Très Révérend sortit du presbytère et fut surpris de me voir. En contrebas, Mrs Tippett malaxait la terre des plants de réglisse avec le café moulu. Comme chaque matin.

À midi, elle posait sa binette, se redressait péniblement et se retirait dans le presbytère. Un jour, en son absence, j'étais allé inspecter son travail. L'eau avait déjà séché sur les plants, y laissant une fine pellicule blanche. J'en avais cueilli une feuille et l'avais léchée du bout de la langue. C'était salé. Mrs Tippett empoisonnait la réglisse de son mari.

— Révérend, serait-il possible de vous parler ?

Il leva les yeux en direction du kraal où la lumière naissante du jour éclairait les chevaux.

— Parle, novice.

— S'il vous plaît, monsieur, faites chercher un médecin pour Jephthah. Laissez-le rester ici.

Mrs Tippett redressa la tête. En dépit de ses efforts, les feuilles fanées se transformaient en bouillie.

Le Très Révérend me prit dans ses bras.

— Mes prières ont été entendues. Jephthah pourra revenir travailler ici dès qu'il aura récupéré. Mrs Tippett appellera le médecin quand elle aura fini. J'imagine que tu veux être baptisé au plus vite ?

Cette nuit-là, après le couvre-feu, allongé sur une couverture pour cheval, j'écoutai le vent siffler à travers les trous grignotés par les scarabées dans la charpente – seule source de ventilation des écuries. Selon les ordres du Très Révérend, on m'avait enfermé dans la sellerie pour éviter que je ne m'enfuie avant mon baptême. Je tentai de lire les Écritures à la lumière d'une lampe torche, mais mon esprit, tout comme les piles, était fatigué.

Soudain, j'entendis la serrure grincer. Izban passa la tête dans l'encadrement de la porte.

— J'ai vu la lumière, novice, et j'ai décidé de venir te voir. Je vais rejoindre la lutte pour la libération. Prends soin du vieux Jephthah. Je t'ai transmis toutes mes histoires. Ne les oublie pas.

Il n'y eut pas de petit déjeuner ce matin-là. Du camp, établi au-dessus de la mission, on pouvait entendre le branle-bas de combat des éclaireurs qui se préparaient à poursuivre Izban, dont le départ me dérangeait pour deux raisons : dans la tourmente qui suivit, mon baptême fut repoussé, et le frère de Mrs Tippett, sous-secrétaire du département des prisons, débarqua à la mission. Par la fenêtre du presbytère, je l'entendis passer un savon au Très Révérend.

— Cette histoire me contrarie beaucoup, Russell, disait le beau-frère. On ne dirige pas un centre de réinsertion sociale avec des terroristes. Si d'autres domestiques font défection, je serai dans l'obligation de te couper les vivres.

Je m'attardai trop longtemps à la fenêtre du presbytère et dus finir de nettoyer les écuries pendant le déjeuner. Adam m'apporta une conserve de pâté entamée et nous la mangeâmes assis par terre, avec les doigts.

— Il paraît que tu vas être baptisé, dit-il.

— Encore une fois, répondis-je avec amertume.

— Ça ne marche pas toujours la première fois.

Notre conversation fut interrompue par l'arrivée inopinée des éclaireurs. Je ne les avais jamais vus d'aussi près. Hormis l'officier, qui était blanc, la formation était hétéroclite : Shonas, Ndébélés, Rhodésiens, Boers, Indiens et quelques métis. Les uniformes étaient aussi disparates que les soldats – chapeaux mous, bérets, casques coloniaux, bonnets ; tee-shirts de camouflage, vestes ou torses nus ; la plupart en shorts, bottes de combat et demi-guêtres, mais on comptait aussi une paire de chaussures de sport en toile noire ; des fusils de tous genres en bandoulière ou tenus à la main, des cartouchières, des grenades, des gourdes et des couteaux en travers des vestes.

Adam les observa, sourcils froncés.

— Ils vont pourchasser le cuisinier et traîner son corps dans toute la mission à titre d'exemple.

Il cacha la boîte de conserve vide dans le purin et essuya son couteau sur son pantalon.

— Le cuisinier affirme que la jument a des orteils, dis-je pour changer de sujet.

Adam se redressa.

— Heureusement qu'Izban est parti avant de te remplir la tête de bêtises.

Dans le kraal, la jument ne lâchait pas le garçon d'écurie des yeux.

— Elle ne ressemble pas à un vrai cheval, continuai-je, faisant référence à ses proportions étranges.

— C'est à ça que doivent ressembler les chevaux. C'est un cheval africain. Dans les temps bibliques, le roi Salomon envoyait ses émissaires par-delà le Zambèze pour acheter nos montures de guerre. Et ne secoue pas la tête. Les guerriers du soleil du Grand Zimbabwe se battaient à cheval.

Adam et la jument déportèrent d'un seul mouvement leur regard sur un même point de la rive qui jouxtait la mission.

— Je vais te confier son nom secret, poursuivit Adam en désignant la jument d'un mouvement de tête. C'est Nigeste Negest, en l'honneur de la Reine des rois, impératrice de la dynastie Salomon. Ne le répète à personne.

La nuit suivante, je fus violemment conduit hors du dortoir. Les arbres fruitiers morts se dressaient sous la lumière des étoiles. Les troncs étaient creux, les branches sans vie, à l'exception de quelques nids de guêpes et des touffes de feuilles qui poussaient n'importe comment, pareilles aux poils dans les oreilles d'un vieillard. Dans le kraal, j'entendis hennir, souffler, et je sus que c'était la jument.

Sur la berge se tenaient les garçons turbulents et les Juges qui frappaient le sol de leurs pieds, poussaient des cris, tandis que le Très Révérend me menait à la rivière. Les orteils crispés dans la boue, je luttai pour ne pas me laisser entraîner par les courants violents.

— En ce jour, tu quittes l'œuf et renais dans l'esprit, me dit le Très Révérend avant de m'enfoncer la tête sous l'eau.

Mes poumons se vidèrent, je me débattis, mais le Très Révérend ne relâcha pas sa pression afin de s'assurer que le baptême prenait bien cette fois-ci. Alors que j'entendais les cris des garçons tamisés par les courants, je m'étranglai avec une eau au goût d'engrais et d'insecticide ; voilà que j'étais baptisé de nouveau – un chrétien racheté deux fois.

Tous m'abandonnèrent pantelant sur la berge et je m'endormis, laissant le vent sécher mes vêtements.

*

Le cuisinier m'avait dit qu'il existait toujours plusieurs fins à une même histoire.

Des tremblements me réveillèrent. J'étais seul sur la rive. Ce n'était pas l'activité tellurique qui me dérangeait dans mon sommeil mais quatre sabots qui frappèrent le sol presque en même temps, *bam*, puis une seconde fois quand le cheval et son cavalier semblèrent prendre leur envol, *bam*, et les fers résonnèrent le long de la rivière.

C'était Adam, galopant avec la fierté d'un Don espagnol, le dos plat, pesant de tout son poids sur le garrot du cheval – peu importait qu'il ne fût jamais monté à cheval. Les sabots chaussés d'acier de la jument l'obligeaient à relever ses jambes. Personne n'était jamais monté sur elle, et personne ne la monterait plus jamais. Ils parcoururent la berge à toute vitesse, puis pénétrèrent dans l'eau, l'animal et l'homme penchés en avant, chacun encourageant l'autre. Était-ce la scène qu'ils avaient imaginée quand ils contemplaient la rivière ? Lorsqu'elle arriva au milieu du cours d'eau et que le courant menaça de l'emporter, la jument n'eut plus qu'un objectif : regagner la rive de la mission.

À cause de ses membres emprisonnés dans l'acier, de l'eau montant jusqu'à ses oreilles et du poids d'Adam, elle dut se laisser porter. Pour la noyer, le cavalier n'avait qu'à tirer violemment sur les rênes, vers la droite ou vers la gauche, l'obligeant à nager en rond jusqu'à épuisement. Adam tira vers la gauche.

En dépit des tabassages nocturnes du Très Révérend, la jument était toujours étonnamment puissante. Les muscles des avant-bras d'Adam se gonflèrent pour l'empêcher de regagner la rive. Jusqu'ici, dans sa confrontation au genre humain, la jument s'était autorisée à faire confiance à Adam. Seulement maintenant, alors que son cœur lâchait sous l'effort de ce dernier baptême, elle retroussait les lèvres, apeurée, les yeux dilatés roulant dans leurs orbites.

Le cri d'agonie d'un cheval qui se noie est aussi terrifiant que déchirant. Ce fut un soulagement quand l'eau envahit ses poumons et qu'elle sombra sous son cavalier.

Adam était parvenu à la rive opposée et partit en direction des montagnes avec sa sacoche remplie de l'argent qu'il avait volé.

De nouveau, nous fûmes brutalement réveillés en pleine nuit et sommés de nous tenir en rangs à la lumière des étoiles, cette fois-ci par le lieutenant de la patrouille montée des éclaireurs. De la lisière de la mission nous parvenaient des reniflements, des hennissements et le claquement d'une bride. Le lieutenant abaissa un bras et les éclaireurs déboulèrent dans la mission, fusils brandis.

Derrière une des montures, on aurait dit un épais tapis attaché à une corde. Quand le cavalier parvint devant les garçons assemblés, je vis que le tapis était en fait un homme tiré par les chevilles. Son corps se soulevait et retombait mollement en passant sur les cailloux ou les racines.

— Adam ! s'écria le Très Révérend en surgissant du presbytère.

Il s'agenouilla auprès du corps, qu'il retourna pour lui administrer les derniers sacrements, mais eut alors un mouvement de recul. Izban lui faisait face. Le cuisinier, qui s'accrochait à la vie, tenta de parler.

Je m'avançai mais la voix d'Izban était trop faible pour que je l'entende. Le Très Révérend approcha son oreille des lèvres du cuisinier. Sans doute Izban avait-il tenu à préserver son dernier souffle pour livrer ses ultimes paroles à son directeur spirituel et employeur. Le Très Révérend devint très pâle, tout à coup, et il mit du temps à se relever.

Cette année-là, il n'y eut pas de cérémonie de bénédiction le jour de la Saint-Antoine, patron des chevaux et des éleveurs. À la place, Elon et moi pénétrâmes dans la rivière jusqu'à la poitrine. Puis je plongeai sous l'eau et nageai vers les profondeurs, en direction d'une silhouette sombre. Ses fers d'acier maintenaient la jument au fond, et le courant filait dans sa crinière comme si elle galopait face au vent. Ses yeux fixaient la surface, là où les rayons du soleil se reflétaient. J'enfonçai un pied dans le lit de la rivière et tentai de décrocher un des fers du sabot. Je voulais voir si la jument avait des orteils, comme l'affirmait Izban, mais son pied avait enflé et rien n'y fit.

Luttant contre le courant, Elon et moi nous mîmes à plonger sous l'eau à tour de rôle, une scie à la main, yeux fermés pour les protéger du sang et des projections. Lorsque nous eûmes scié les quatre membres de la jument, elle remonta à la surface. Le cadavre nous échappa à cause du courant ; on le retrouva deux semaines plus tard, un peu plus bas, prisonnier des joncs.

C'en était terminé des rassemblements sur la pelouse du presbytère et l'autel de granit disparut sous les herbes. Le Très Révérend se flétrissait de jour en jour, jusqu'à n'être plus que sa propre image qu'on aurait dite contenue dans un petit cadre. Ses dents noires virèrent au gris et ses cheveux, désormais privés de gomina, flottaient autour de sa tête comme une auréole.

Elon s'enfuit à son tour et son nom fut effacé de la bible. Les garçons turbulents se réveillaient toujours à l'aube afin de parcourir la vallée à cheval, enfonçant leurs longs bâtons recourbés dans les herbes hautes, les trous des rongeurs, les amas de détritus. Ils dormaient aux écuries avec leur monture. Depuis la fenêtre du dortoir, je les voyais revenir de la chasse, torse nu, le visage maculé de sang, leur selle croulant sous les peaux scintillantes des serpents dont les yeux semblaient encore perçants.

Sans les rigueurs de l'emploi du temps concocté par Mrs Tippett pour m'occuper l'esprit, je me retrouvai un soir sous la fenêtre de sa chambre. Je la vis ouvrir le premier tiroir de sa commode et le vider, déposant sur la vanité chaque objet enveloppé dans un sous-vêtement. Le peigne du Très Révérend. Le réchaud en étain où son mari mettait la réglisse. La clochette. La médaille de compagnon de Saint-Antoine d'Adam. La médaille militaire de mon père. La clé qui avait servi à retirer la batterie du tracteur. Mrs Tippett caressait chacun de ses trésors de pacotille, en traçait les contours du bout des doigts. Elle enfonça la broche de la médaille dans le lobe d'une de ses oreilles puis se contempla dans le miroir. Dans la passion de sa conversion, Mrs Tippett avait tout donné au Très Révérend, mais, maintenant que le feu en était consumé, elle voulait tout récupérer. Je me collai à la fenêtre pour mieux la voir ranger ses richesses dans le tiroir. Mon souffle opacifia la vitre, rendant son visage flou.

Le fantôme-conteur

Juin 1971

Mon père et moi voyagions en silence, comme à l'accoutumée, attentifs au sifflement du piston, au *ploc*, *ploc*, *ploc* des insectes percutant le pare-brise, au souffle du vent. La chaleur se dissipait en même temps que l'horizon, mais je respirais avec difficulté alors que la Ford anglaise gravissait l'autoroute de montagne sous un ciel sans étoile. Après un an passé dans la vallée, je ne parvenais plus à remplir complètement mes poumons.

Mon père conduisait trop vite, comme si une force invisible l'attirait vers la maison. Nous dépassâmes un camion rempli de soldats. La route menait à la réserve, à la rivière où i'avais été baptisé, au buisson de ronces où était enterré mon cordon ombilical, et, dans la vitre de la voiture, mon reflet se superposait aux lieux marquants de mon enfance. La montagne de granit qui surplombait la vallée semblait s'être tassée, enfoncée dans la terre. Des flocons de neige voletaient, du jamais-vu dans les montagnes orientales. Même les saisons avaient changé au cours de cette année où je m'étais enfui de chez moi pour devenir un homme.

Mon père manqua d'écraser un aveugle qui se guidait de la pointe d'un parapluie fermé. Nous ne vîmes personne d'autre.

Des silhouettes fantômes disparaissaient et réapparaissaient, clignotant entre les acacias et les acajous, galopant parallèlement et à la même allure que la voiture.

La sensation de mouvement ne cessa pas, même quand mon père pénétra dans notre allée et coupa le contact. Nous restâmes dans la voiture à écouter le cliquetis du moteur qui refroidissait. Les ombres et la perspective donnaient l'impression que le bungalow était renflé, comme débordant de secrets. Envahi par une familière sensation d'oppression, je faillis prendre la main de mon père mais il choisit ce moment pour descendre du siège conducteur sans un mot.

À l'intérieur de la maison, le fantôme-conteur nous attendait, sous la forme d'une nuée rosée, bouillonnante, qui sentait le tabac à pipe, et avait gonflé en mon absence pour devenir omniprésente.

Je me rendis dans la chambre où se trouvait ma mère, assise dans son fauteuil Queen Anne, éclairée par un lampadaire de style italien dont le pied en bronze patiné avait visiblement souffert lors du voyage depuis l'Écosse. L'ampoule peinte donnait aux yeux de ma mère un reflet irisé. Je me demandai si elle avait eu conscience de mon absence durant un an, si le temps s'écoulait dans cette pièce sombre. Cette femme refusait de voir ce qu'elle ne pouvait comprendre, ce qui l'avait rendue aveugle au fantôme-conteur et définitivement clouée à son fauteuil.

La maison s'était détériorée depuis mon départ : les lattes du plancher s'affaissaient, les joints pourrissaient, les horloges s'étaient arrêtées, les coins étaient envahis de toiles d'araignées, la lumière au-dessus du four ne fonctionnait plus. Une brume froide voilait le jardin laissé à l'abandon, étouffant le chant du rollier, estompant le clair de lune.

Une voix surgit de l'obscurité : « Divinations ! Prophéties ! » C'était l'aveugle que mon père avait failli renverser qui avançait dans l'allée en tapant le sol de son parapluie. « Le passé sera révélé. Les secrets divulgués. Un dollar. » Il portait un manteau en laine et des lunettes de soleil, il avait le crâne rasé comme un saint homme. « L'avenir est ici, votre vraie nature n'attend que d'être dévoilée. »

Quand j'ouvris la porte, il était en arrêt sur le seuil et secouait une boîte en fer.

— Cette maison est déséquilibrée, affirma-t-il. Peut-être que l'un de vos ancêtres est mécontent. Pour un dollar, je peux arranger ça.

Je le guidai dans la cuisine. Le vieil homme retira son manteau après avoir posé sur la table la boîte où était griffonné d'une écriture hésitante : « *Prédictions. 1 dollar/heure. Pas de remboursement au-delà de 5 minutes* ». Le devin ambulant se gratta les fesses avant de prendre place sur une chaise.

— Allons-y, alors, dit-il.

Il ouvrit la boîte, prit des os dans le creux de sa main et les jeta sur le couvercle. Puis il les tripota, en faisant rouler ses yeux derrière les verres noirs – toute une mise en scène.

— Donne-moi un dollar et je te révélerai ce que disent les os.

J'approchai un dollar du haut de son front et il tenta de l'attraper, oubliant qu'il était supposé être aveugle. Je reculai, ris.

— Je croyais que tu n'y voyais pas.

Il m'observa d'un air renfrogné derrière ses lunettes noires, remit les os dans la boîte et la referma.

— Mon arrière-grand-mère était devineresse, dis-je.

Dans son bureau, mon père gardait une vieille photo d'elle cachée entre les pages de *Lectures pour le train*. Le cliché avait été pris au Cap : une femme xhosa, marquée selon les rites et fumant la pipe, assise à une table du bar où elle lisait l'avenir.

— Vas-y, l'enjoignis-je en désignant les os. Lance-les.

Le devin ambulant observa les os et secoua la tête.

— Pas la peine de faire semblant. Donne-moi simplement le dollar.

Il gigota sur sa chaise et enfonça sa main dans son pantalon afin de se gratter avec vigueur.

— Vers solitaires, s'excusa-t-il.

J'agitai le dollar dans les airs ; il le suivit des yeux.

— Peut-être que je peux quand même t'aider, dit-il. Je sais ce que tu veux savoir. Tous les garçons me posent la même question : quel genre d'homme vais-je devenir ?

— Je suis déjà un homme, répondis-je.

Le devin cessa de se gratter l'anus.

— Oh ! Un homme. J'aurais dû m'en apercevoir tout de suite. L'âme d'un garçon est une chose mouvante, changeante. Chez les hommes, elle se fige. As-tu eu le temps de découvrir quel genre d'homme tu es ?

Il attrapa le dollar.

— Il y a un moyen de le savoir.

Ma bouche s'assécha. J'entendis hurler au loin.

Il ramassa sa boîte et se leva.

— Il est temps que je m'en aille. J'aimerais rentrer avant que les demi-bêtes ne sortent chasser.

C'était une histoire que les Shonas de la réserve racontaient à leurs enfants : chaque nuit, des demi-bêtes à la voix chuintante arpentaient la vallée dans le vain espoir de devenir des humains à part entière.

Le faux devin pointa son parapluie devant lui, redevenant aveugle.

— Je dors dans l'acajou sacré qui pousse près du couvent, à la limite de la réserve. Viens me voir, jeune ami. Apporte un dollar et je te dirai comment sonder ton âme.

Il s'éloigna en tapotant la piste, puis disparut dans le jardin luxuriant.

*

Le matin de mon retour, un soleil blanc, étincelant et tenace monta dans le ciel. Je sortis sur la véranda qui dominait la vallée.

Il ne restait rien de mon enfance. Les bûcherons de la Commission des forêts avaient déboisé la montagne, la laissant nue et rapetissée. Les arbres avaient été vendus à une scierie voisine qui fabriquait des planches de qualité industrielle pour palettes et cercueils. Un chemin avait été tracé dans le bush – non par les animaux, mais par les hommes. Je l'empruntai. De chaque côté du sentier gisaient des serpents morts à la peau abîmée. Un groupe de vautours africains se disputaient les pauvres restes.

Quelque chose vint déranger la terre. L'herbe ondula et murmura, phénomène mystérieux en cette journée sans vent, et je fus saisi d'un malaise. Les vautours s'élevèrent maladroitement dans les airs, abandonnant leurs proies. Puis vinrent les serpents : pythons, cobras cracheurs, serpents corail, vipères heurtantes, vipères du Gabon, mambas qui surgirent des herbes hautes, paniqués. Ils s'enroulèrent autour de mes chevilles, je sentis leur peau rêche et visqueuse, puis ils disparurent aussi vite qu'ils étaient apparus.

Plaquant mon oreille au sol, je perçus un grondement sourd, le tambourinement de dizaines de sabots, et je m'allongeai dans l'herbe.

Un groupe de garçons à cheval déboula en trombe, criant comme des bêtes sauvages. Ils tenaient chacun un bâton muni d'un crochet en métal avec lequel ils frappaient les buissons, retournaient les pierres, fouillaient les trous, fouettaient les herbes. À leur selle pendaient des guirlandes de peaux de serpents. C'étaient eux, les ombres galopantes que j'avais vues derrière la vitre de la voiture, la veille au soir ; c'étaient leurs cris qui avaient effrayé le devin ambulant. Le bush avala les cavaliers, leurs montures, le tonnerre des sabots, et j'en vins à me demander si j'avais rêvé.

J'étais toujours en pyjama quand je vis arriver Mrs Tippett avec un plateau chargé d'une bible à fanfreluches, d'une coupelle de cendres et d'une assiette d'œufs brouillés déjà froids. Mon père avait dû lui demander de s'occuper de ma mère pendant qu'il allait me chercher. Elle était pâle, quasi albinos – une peau translucide révélant un réseau de fines veines. C'était de famille, j'imagine, ce désir pour des femmes achromatiques. Excepté un bracelet d'anémones tressées, elle ne portait aucun bijou.

— Tu es revenu, je vois, dit-elle d'un ton neutre où perçait néanmoins la désapprobation.

Était-ce parce que j'étais parti ? Ou parce que je n'avais pas eu la force de disparaître vraiment ?

— Si j'avais su que tu étais là, j'aurais fait plus d'œufs, reprit-elle. Nous sommes tous des œufs. Au sens spirituel, bien sûr. C'est du moins ce qu'affirme le Très Révérend, conclut-elle d'une voix traînante.

Quand Mrs Tippett frôla le fantôme-conteur de mon arrière-grand-mère, elle s'arrêta sur le seuil de la pièce. Elle se signa et cita un passage de Job : *Comme la nuée se dissipe et s'en va, Celui qui descend au séjour des morts ne remontera pas.* S'étant ainsi assurée de son inexistence, elle traversa le spectre.

Je la suivis dans la chambre où ma mère se reposait dans le noir. Mrs Tippett alluma la lampe, installa le plateau sur les genoux de l'invalide et ouvrit la bible. Les paroles du Christ étaient écrites en rouge, bien visibles. Elle avait recouvert le livre d'un tissu brodé et matelassé, comme pour adoucir la divine parole et pour y piquer ses aiguilles.

Je m'avançai, laissant entre nous une distance équivalente à l'un de ses longs bras pâles. Tandis qu'elle lisait, l'air ventilé figeait son souffle et raidissait ses tétons sous sa blouse de coton. Elle agrippa sa bible clinquante et me dévisagea, citant désormais de mémoire : *Mais si ton œil est mauvais, tout ton corps sera dans les ténèbres.* Le fantôme-conteur se rapprocha. Mrs Tippett se piqua l'index sur une des aiguilles de la bible.

— Ah, la vie, soupira-t-elle.

Je vis les gouttelettes vermillon tomber comme une ponctuation sur le texte à l'encre rouge, et sentis mon propre sang battre dans mes veines. Mrs Tippett redressa la tête, regarda mon entrejambe et se détourna.

— Dieu te pardonne, marmonna-t-elle.

Je pivotai vers le mur le temps que mon érection retombe.

Mrs Tippett cracha dans les cendres, y mélangea sa salive du bout du doigt et dessina une croix sur le front de ma mère.

— Je prierai pour toi, me dit-elle en quittant la pièce, son devoir accompli.

Je prêtai l'oreille au bruit de ses pas sur le plancher, à celui des assiettes sur le plateau, à la porte moustiquaire se refermant. Ma mère, damnée, essuya la cendre de son front du dos de la main.

Le bureau était au cœur du bungalow. Au Cap, à l'époque de mon arrière-grand-mère, c'était la pièce où les barmaids se prélassaient sur des tabourets en attendant de se trémousser sur une petite piste de danse, et d'être choisies par un des clients silencieux qui les emmèneraient de l'autre côté de l'une des nombreuses portes de la maison. C'était aussi là que mon arrière-grand-mère fumait la pipe et énonçait les tristes destins de tous ceux qui en franchissaient le seuil. Après avoir appris la funeste nouvelle, le client dépensait davantage et insistait pour que mon arrière-grand-mère lui en dise plus, alors elle divinisait jusqu'à l'aube, le débarrassant de sa fortune – dans tous les sens du terme. Mon père avait fait démonter la maison pour la reconstruire loin de la mer, dans les montagnes orientales de Rhodésie, abandonnant derrière lui un soubassement en briques, un tas de vieux matelas et ses racines africaines. Les lattes sentaient encore vaguement la lavande. Là où le papier peint partait en lambeaux, on apercevait des murs couleur chair. Le bureau était l'endroit préféré du fantôme-conteur.

Mon père était allongé sur son lit en métal et le fantôme-conteur reposait sur sa poitrine. De la porte, je vis mon père s'enfoncer dans le matelas, écrasé par le fantôme-conteur qui l'obligeait à se battre pour chaque respiration. Je donnai un coup de pied dans le lit.

— Va roupiller ailleurs !

Le fantôme-conteur relâcha son emprise. Tirant le lit par les pieds qui laissèrent des traces sur le plancher peint, mon père partit dormir dans une autre pièce du bungalow, renonçant à son bureau, à ses livres et au peu d'autorité qu'il aurait pu exercer sur moi.

Des étagères ornaient les murs du sol au plafond ; celles du haut étaient accessibles grâce à une échelle qui coulissait le long d'un rail. Le menuisier de mon père avait sous-estimé le poids de la connaissance occidentale et le mauvais bois en acajou ployait et grinçait chaque fois qu'on déplaçait un livre.

Je parcourus les étagères de ma bibliothèque, attrapant les livres au hasard : *La Richesse des nations*, *Horizon perdu*, *L'Usage moderne de l'anglais*, *La Guerre d'un subalterne*, *Techniques et civilisation*, *Les Grandes Espérances*. Des histoires pour instruire et des histoires pour passer le temps. Des histoires pour rester éveillé et des histoires pour s'endormir. Des histoires à garder, à ressasser. Des histoires sur des terres et des peuples, des faits et des mythes, des vérités humaines et inhumaines. Des histoires qui perturbaient l'esprit.

Pendant trois jours, je lus, laissant les mots me submerger. Je m'endormais au milieu d'une phrase, reprenais le fil en me réveillant, enchaînant les volumes sans respirer. Chaque livre était un fantôme-conteur – relié, couvert et rangé – et chacun d'eux exigeait un public.

Le temps prit corps. Des vies entières défilèrent devant moi. De nouveaux mots vinrent chasser ceux de mon enfance. Je tenais le compte des jours en me fiant au chant matinal des rolliers, au toussotement de la Ford anglaise de mon père en route pour Umtali, au silence plombant de la mi-journée, aux cris nocturnes des apodidés. Je quittais le bureau uniquement pour aller aux toilettes et boire de l'eau à l'évier de la cuisine.

Immergé dans mes livres, je remarquai à peine la présence du fantôme-conteur. L'air sentait les algues et le sel de mer. J'entendais le battement des ailes des canaris. Des perroquets jurer dans toutes les langues. Une Victrola s'alluma quelque part dans la pièce, *L'Arrivée du crépuscule et des ombres*. Mon arrière-grand-mère se mit à chanter de sa voix rocailleuse. *Sur la terre et sur l'onde*. Je connaissais les paroles. Un poids m'oppressait la poitrine, comme si je gisais sous une pile de couvertures en laine. Je laissai le livre tomber sur mes cuisses. *Quelque part, une voix appelle, m'appelle*. C'était le fantôme-conteur qui avait envoyé mon père me chercher. J'expirai du tabac à pipe.

Sans doute serais-je encore à voguer dans cette pièce – et le monde y aurait gagné – si les lumières ne s'étaient éteintes. Je sortis sur la véranda pour trouver l'origine de la panne. Dans l'obscurité, je perçus des murmures et des rires camouflés. Des visages se révélèrent parmi les herbes, ceux des enfants de la réserve qui se faisaient peur en s'approchant du fantôme-conteur. Je les pourchassai jusqu'à l'autoroute, où je trouvai un python énucléé et carbonisé dans la borne électrique. Au loin, j'entendis le choc des sabots et les cris des garçons traquant les serpents. La lune avait commencé sa descente ; c'était l'heure des demi-bêtes. Incapable de reprendre mes lectures, je laissai mes pieds me conduire là où bon leur semblait.

Dans une histoire, il y a un sens à chaque errance, si illogique soit-elle en apparence. Mes pensées s'orientèrent vers Mrs Tippett et sa peau pâle, et mes pieds partirent en direction de la Mission pour garçons difficiles. Une lumière s'alluma quand j'atteignis le presbytère. Je me cachai derrière un bosquet d'arbres à fièvre.

J'y étais toujours quand elle vint à sa fenêtre pour observer le ciel nocturne, les lèvres entrouvertes, les paupières lourdes, les cheveux vibrants d'électricité statique. Elle passa les mains sous ses seins pâles, leur donnant jeunesse et vigueur et, à cet instant-là, elle ressemblait à une fille à peine plus âgée que moi. Sa main descendit sur son ventre puis en dessous, hors de ma vue. Elle s'éloigna et j'abandonnai ma cachette pour m'installer au milieu des oignons rampants qui poussaient sous sa fenêtre. Je vis Mrs Tippett retirer sa chemise de nuit, s'agenouiller sur son lit – complètement nue si ce n'était son bracelet de fleurs tressées. Je baissai les yeux vers son nombril, ses poils pubiens. Mon souffle se matérialisait dans l'air froid de la montagne.

Toute ma vie, le danger me tomberait dessus alors que je regardais ailleurs. Du coin de l'œil, je perçus un mouvement. Un bruissement, un soupir parmi les feuilles. Des silhouettes se déplaçant furtivement. Des vipères rampèrent à mes pieds et les oignons prirent vie. J'entendis trop tard la cavalcade et les cris des garçons. Je me tenais toujours sous la fenêtre quand ils jaillirent entre les arbres à fièvre pour me foncer dessus, brandissant leurs longs bâtons. L'un d'eux me terrassa. Un autre me maintint à terre avec son hameçon en métal. Cloué au sol tel un vermisseau, je fus battu à maintes reprises.

*

Mon père appartenait à la génération qui jugeait la valeur des gens aux couleurs de leur école et à la qualité de leurs chaussures – vernis et talons. Il se tenait derrière moi le matin où je devais être présenté au juge, pour m'aider à nouer la cravate de son école autour de mon cou. Une semaine s'était écoulée depuis ma capture et ma disgrâce. Mon père jeta un œil au miroir par-dessus mon épaule.

— Tu as grandi pendant ton absence, dit-il.

Soudain, je me sentis petit.

— Non, pas tellement, répondis-je.

Mon père me guida et, ensemble, nous fîmes un double nœud Windsor, passant un pan de la cravate sous l'autre, puis autour et par-dessus, au-dessus et dedans. Dans le miroir, je le vis ouvrir puis fermer la bouche, comme s'il s'apprêtait à dire quelque chose avant de se raviser. Depuis que la police m'avait ramené à la maison, il ne pouvait plus me regarder en face. Nous parachevâmes le nœud, l'ajustant bien autour de ma gorge.

— Voilà, dit-il, satisfait.

Mon père m'accompagna ensuite sur la véranda et me montra comment lustrer mes chaussures pour le magistrat. Il fallait laisser fondre la cire dans une boîte de conserve, plonger la peau de chamois dans la pâte avant de l'appliquer délicatement sur le bout, dans la rainure où le cuir rejoignait la semelle, en faisant pénétrer la cire par petits cercles jusqu'à ce que les chaussures étincellent comme du satin. Il m'avait aussi appris à lire. À cracher comme un Africain. À garder un secret.

Je posai les chaussures par terre et, ensemble, nous contemplâmes la rosée qui brillait dans l'aube. Mon père me surprit en parlant sans y être obligé. « Il y a ici une musique si douce qu'elle tombe plus doucement que les pétales de rose sur l'herbe. » Ces mots, prononcés par un homme aussi peu porté sur la poésie, se gravèrent dans ma mémoire. Les histoires racontées rétrospectivement invitent d'autres souvenirs, plus récents, et le temps sort de ses rails. Bien après sa mort, je lirais de nouveau ces vers dans un recueil de poésie victorienne. Mon père ne faisait que citer Tennyson mais, à ce moment-là, sur la véranda, en attente de mon procès, ces mots furent les siens.

Pendant le procès, ni mon père ni moi ne prîmes la parole. La cour était installée dans une petite pièce qui avait tout d'une fournaise, derrière le quartier général de la police. Il n'y avait plus de courant ; sans doute d'autres serpents avaient-ils trouvé refuge dans la borne électrique. Il fallut allumer une fusée éclairante, ce qui provoqua un léger retard. L'huissier nous demanda à tous de nous lever et je me préparai à voir arriver un magistrat imposant affublé d'une perruque blanche et d'une toge noire. À la place, une petite silhouette féminine, avec des marques de transpiration sous les aisselles, pénétra comme une furie dans la pièce sans paraître remarquer notre présence, encore moins mes chaussures ou ma cravate.

À la lumière de la fusée éclairante, j'entendis à peine les propos de la juge. En revanche, son appréciation me concernant alla se ficher dans ma mémoire pour être réexaminée les nuits suivantes. La juge expliqua à la cour que j'étais un garçon turbulent, spirituellement déficient, un petit voyou névrotique qui aurait mérité une belle bastonnade si cela n'avait tenu qu'à elle. La Rhodésie survivrait ou périrait à la force de sa jeunesse, et que Dieu nous garde si tous ceux de ma génération étaient comme moi. Mais la fortune sourit aux malheureux, on a droit à une seconde chance, etc.

Le Très Révérend avait réfléchi à ma situation. Père absent, mère malade. Ce n'était pas une bonne manière d'élever un enfant blanc. Le lundi suivant, je me présenterais à la Mission pour garçons difficiles afin d'y effectuer un séjour de treize mois. Dossier suivant.

Cette nuit-là, les conclusions de la juge m'empêchèrent de trouver le sommeil. Je quittai la maison et suivis le chemin jusqu'à l'acajou sacré où dormait le devin ambulant, adossé à une grosse branche, les pieds surélevés contre le tronc massif. Assailli par les scarabées, l'arbre semblait prêt à s'effondrer. Le devin se gratta les fesses à l'écorce, cherchant à se soulager de ses vers solitaires.

Je me raclai la gorge.

— Tu m'as dit qu'il existait un endroit où je pouvais aller sonder mon âme ?

Son pied glissa sur le tronc et il manqua de tomber.

— À la réflexion, peut-être que ce n'est pas une bonne idée.

Il m'observa un instant.

— Si Dieu nous tient éloignés de la connaissance, c'est pour d'excellentes raisons.

Je brandis mon dollar. Le devin sembla débattre un instant avec lui-même puis secoua la tête.

— Mieux vaut que tu découvres à la fin de ta vie quel genre d'homme tu es. Parce que ça n'aura plus d'importance.

Je grimpai à l'énorme racine et lui effleurai la main avec mon billet.

Il l'attrapa et le fit disparaître dans sa poche d'un seul geste.

— Ho ho ho. Tu es sûr de toi ?

À l'entrée de la réserve, les étals des marchands se mêlaient aux tombes des enfants fauchés par les chauffeurs routiers. Mais, à cette heure de la matinée, ces derniers évitaient ce genre d'endroits misérables et il me fallut une heure pour parvenir au marché à pied. Des vendeurs à la sauvette étaient installés devant des tables sans pieds, autour de poêles à kérosène, sous des parapluies, sur des dalles de granit, dans des voitures en piteux état abandonnées au milieu d'un champ de camelote à vendre : radios, sachets en papier de repas à emporter, lunettes de soleil en plastique, sculptures d'animaux en stéatite, pelotes de laine, boîtes de conserve, sets de table tissés, rouleaux de ficelle. Deux soldats jouaient aux cartes sur la tourelle d'un char blindé dont le canon était dirigé vers la foule.

Il y a bien longtemps, racontait l'histoire, un petit garçon était venu ici faire la manche. Mais les Shonas de la réserve ne donnent rien gratuitement et il s'était mis à dessiner les âmes des passants sur des morceaux de papier gras. Ayant ainsi piégé les âmes, il acceptait de les rendre à leur propriétaire en échange de nourriture. Grâce à ses gains, le garçon prit du poids. Voilà ce que le devin ambulant m'avait révélé pour un dollar.

Un nuage de moustiques et de poussière flottait au-dessus du marché. J'achetai une bière et pris ma place dans la longue file de Shonas à qui il tardait de découvrir leur vraie nature. En patientant, je mangeai la noix purgative que le devin m'avait donnée la nuit précédente. « Cela t'aidera à te débarrasser du mal, avait-il expliqué. Ton âme paraîtra peut-être moins sombre. »

Le Dessinateur d'âmes était perché sur un monticule de terre, là où la piste de la réserve croise l'autoroute. Malgré la lutte pour ce genre d'emplacements, le garçon avait réussi à préserver le sien. Son bidon de gamin désormais trop nourri reposait sur ses genoux et un tas de papiers gisaient autour de lui. Il avait perdu toutes ses dents mais ses gencives dures comme la pierre lui permettaient de mâchouiller un morceau de viande séchée. Quand vint mon tour, je déposai ma bière devant lui.

— Dessine mon âme, dis-je.

La noix de jatropha m'avait laissé un mauvais goût dans la bouche. Le garçon ramassa un morceau de charbon et sans même me regarder se mit à dessiner avec ferveur sur un sac en papier. Il jeta ensuite le dessin à mes pieds.

J'observai le croquis. Ce n'était qu'une série de minuscules traits malhabiles qui se fondaient dans une grosse tache noire. Le dessin me retourna l'estomac et je vomis une bile brune qui sentait le lait brûlé, le mildiou, le charbon et les légumes pourris. Même les moucherons n'en voudraient pas.

Je donnai un coup dans la bouteille, renversant la bière sur les pieds du garçon, puis piétinai son morceau de charbon sur la route, y laissant une trace noire identique au dessin. Le devin haussa les épaules, estimant son interprétation ainsi validée.

Un camion passa à toute vitesse sur l'autoroute, manquant de renverser un groupe d'enfants qui hurlèrent de joie en s'éparpillant entre les étals. Les vendeurs levèrent les yeux, soulagés de constater qu'on ne leur confisquerait pas leur place pour y creuser de nouvelles tombes d'enfants écrasés.

Une autre nuit passa sans que je trouve le sommeil, à broyer du noir dans le bureau envahi par les livres, à attendre d'être envoyé à la Mission pour garçons difficiles. Mon père m'apporta des biscuits sur un plateau et repartit à toute vitesse. Je ne me rappelais plus pourquoi je m'étais enfui de cet endroit. Assis dans le bureau, je guettais les bruits de pas des barmaids aux pieds nus. J'entendis des mouettes crier au-dehors. Des vagues s'écraser sur le sable. Et la voix de mon arrière-grand-mère : *Une histoire. Qu'elle vienne.* Les mots sortaient de ma propre bouche.

Je fus réveillé par un tapotement à la fenêtre. Le devin ambulant voulait savoir ce que j'avais découvert auprès du Dessinateur des âmes. Il aperçut le miasme épais du fantôme-conteur qui avait envahi le bureau.

— Que Dieu m'aveugle ! s'écria-t-il, puis il pencha la tête sur le côté pour mieux voir. Comment pouvez-vous vivre sous le même toit que ce truc ?

Il entra par la fenêtre.

— Même qu'il en vient à repousser les murs.

Il passa sa main à travers le fantôme-conteur.

— C'est l'esprit de mon arrière-grand-mère.

Le devin étudia l'apparition d'un air intense.

— Ce n'est pas du tout ça, mon jeune ami. Ton arrière-grand-mère est morte depuis longtemps et son esprit est dans un tout autre endroit. C'est son histoire qui rompt l'équilibre de la maison. Tu dis que ton arrière-grand-mère était devineresse ?

Je hochai la tête.

— Hé ! C'est une chose terrible quand un devin en vient à être séparé de son histoire. Tu écoutes ce fantôme-conteur ?

— Oui.

— Ça, c'est un vrai problème. Cette chose maléfique grignote ton passé. Et elle ne sera satisfaite qu'une fois qu'elle t'aura complètement boulotté.

Dehors, un groupe de pingouins criaillaient parmi l'écume. Il avait raison. Je vivais dans l'histoire de mon arrière-grand-mère.

— Toi qui es devin, tu ne peux pas le chasser ?

— Ne dis pas n'importe quoi ! Si j'avais des pouvoirs, tu crois que j'aurais des vers solitaires ?

Il arpenta la pièce, secouant les os dans leur boîte.

— Ma mère arrivait à repousser ces trucs-là.

Il s'arrêta d'un coup et observa sa boîte comme s'il la voyait pour la première fois.

— On devrait les consulter.

— Je croyais que tu ne savais pas les lire.

— À dire vrai, je n'ai jamais essayé.

Il retira le couvercle de la boîte.

— Ce ne sont que des os de porc que j'ai fait bouillir. J'ai vendu ceux que ma mère m'avait légués. Quand bien même, je ne peux pas laisser un ami se faire manger par un fantôme-conteur. Apporte-moi un dollar. On va secouer les os et voir si on peut attirer son attention.

Il sortit de l'écorce de poivrier, une boîte d'allumettes et un fouet en poils de bœuf.

— Voilà, tout va rentrer dans l'ordre. Au revoir, mon ami.

Il enfouit le dollar dans sa poche, me poussa dans le couloir et s'enferma dans le bureau.

Le devin avait fait un feu d'écorce de poivrier dont les fumerolles rampaient sous la porte. J'entendis les os de porc bouillis rouler sur le couvercle de la boîte. Il applaudit, agita son fouet en poils de bœuf. Il s'efforçait de faire en sorte que j'en aie pour mon argent. Ensuite, il y eut des voix, mais elles étaient trop basses pour que je comprenne. On aurait dit des négociations secrètes. Je m'endormis dans le couloir, l'oreille collée à la porte.

Le bureau était vide quand j'y pénétrai le lendemain matin. Le devin et le fantôme-conteur étaient partis. Je fouillai la maison ; elle me parut trop vide, dépouillée de son essence.

Les jours passèrent, lents et flous, tandis que j'attendais le début de ma peine. Je pris l'habitude d'emporter partout avec moi, glissées dans ma poche de poitrine, les souillures charbonneuses de mon âme. Certains matins, me promenant dans le jardin laissé à l'abandon, je trouvais des touffes de poils fauves accrochées aux branches, et je me demandais si elles provenaient des demi-bêtes, ces créatures informes qui vivaient dans la marge, entre le monde matériel et le monde spirituel. La fourrure sentait le musc, la charogne et la brume.

J'enquiquinai les domestiques des voisins, les vendeurs à la sauvette, les tenanciers des tavernes à la recherche du devin ambulant, mais personne ne semblait se souvenir de lui – à croire qu'il n'avait jamais existé. Qui peut dire aujourd'hui pourquoi il s'était offert au fantôme-conteur ? Peut-être voulait-il un nouveau passé, même celui d'un autre. À moins qu'il en ait eu marre de dormir dans un arbre avec ses vers solitaires pour seule compagnie. Ou bien il l'avait fait pour le dollar.

Certains exorcismes sont plus puissants que d'autres. Mon père se mit à fumer la pipe sur la véranda. S'il se croyait seul, il sifflotait un air populaire d'une autre époque. Quant au bungalow, tant qu'il tiendrait debout, il continuerait d'osciller et de grincer sur ses fondations, comme le font les vieilles maisons, bercé par le murmure du vent s'insinuant entre les montants mal fixés des fenêtres.

L'homme à vif

Ulwaluko Ixesha (l'heure de l'initiation), 1971

Dès qu'une tempête s'engouffrait à l'intérieur des terres, le trop-plein qui s'écoulait des kopjes transformait la route en égout. Je parcourais le chemin marécageux depuis deux jours quand j'en appris le nom – route Imfene –, grâce à un cycliste xhosa qui sembla ne voir en moi qu'un chien, sans vouloir me vexer. C'était un jeune homme, sans doute avait-il entamé son initiation un an auparavant.

— Ce n'est pas une route pour les enfants, me dit-il tout en regardant le soleil se coucher. Surtout de nuit.

Puis il repartit, sa roue arrière faisant gicler la boue dans son dos.

Je suivis la route Imfene pendant un long moment, coupai à travers les herbes hautes du bush, dépassai les mimosas en fleur, de vastes champs d'ananas et des groupes de huttes abandonnées aux toits effondrés. Ce n'était pas vraiment une route, plutôt une piste fantôme tracée par des animaux préhistoriques, puis damée par les sabots des troupeaux de bétail, et enfin inscrite au registre des routes d'Afrique du Sud.

Un camion passa à vive allure, m'ignorant quand je lui fis signe de s'arrêter. J'avais parcouru mille kilomètres, quinze degrés longitudinaux d'après la mappemonde du bureau de mon père, me déplaçant toujours au sud et à l'est, vers le bord du continent. Dans ma crasse et mes haillons, j'étais invisible. Mon corps émacié avançait sans réelle volonté, me menant au cœur du Ciskei, lieu de naissance de mon arrière-grand-mère.

Je croisai une femme avec un tas de petit bois sur la tête. Elle m'offrit une tomate mais mon estomac rejeta le fruit dans un flot de bile.

Un vieux break s'annonçait à l'horizon. Il ralentit en me dépassant puis fit un grand demi-tour dans le champ et remonta la route à mon côté. Le conducteur se pencha vers la portière passager afin de l'ouvrir et, dans l'effort, il lâcha un vent. La poignée lui resta dans la main, il pesta en xhosa. Les clics palataux donnaient du rythme à ses jurons. Il me fit signe d'ouvrir depuis l'extérieur.

Le moteur menaçait de caler ; pour autant, j'hésitai.

— Entre, neveu, entre ! s'écria le conducteur.

Ses mots étaient épais, comme si sa langue avait été trop grosse pour sa bouche. Il tripota les boutons de sa radio, ses yeux s'agitant dans leurs orbites. J'aperçus une douzaine de bras de babouins sectionnés et couverts de mouches sur la banquette arrière. L'un des moignons semblait tendu vers moi, le pouce et l'index dressés comme un pistolet.

Quand le moteur pétarada une nouvelle fois, je me jetai dans le bush, rampant à quatre pattes sous les branches, le plus vite possible. Tandis que le conducteur errait dans les buissons à ma recherche, je restai immobile parmi les ombres. Il faisait chaud, humide, et il s'arrêta afin de s'essuyer le front sur sa manche kaki.

— Neveu ! cria-t-il dans le crépuscule. Neveu !

Le conducteur abandonna ses recherches avec le coucher du soleil. Derrière mon rideau de feuillages, je vis la voiture repartir dans la direction d'où elle venait. Je restai caché bien après qu'elle eut disparu à l'horizon, écoutant le vent bruire dans les feuilles.

Je repris ma marche jusqu'à ne plus sentir la route sous mes pieds craquelés, et bifurquai alors dans le bush. Quand je m'allongeai au sol, mes pieds continuèrent de cheminer, incapables de s'arrêter. La bible dans le bureau de mon père se trompait : ce n'est pas la chair qui est faible. Je quittai mon corps borné et agonisant et m'élevai dans les airs, des chauves-souris voletèrent autour de moi en criant.

À l'aube, je découvris une immense plantation d'ananas qui s'étirait au loin. Des pigeons s'envolèrent face au soleil, recouvrant la route de leur ombre, et j'eus envie de les rejoindre, prêt pour la vie éternelle. Mais non. Mon corps se releva, s'étira et reprit sa marche, et mon esprit suivit, chimère flottante reliée à un fil invisible.

Mon corps voyagea le long de la route, au-delà des champs dorés, des terrains de lutte où les hommes se tabassaient à coups de bâton sous les yeux énamourés de leur chérie, jusqu'à un village de huttes rondes aux toits de chaume et aux portes étroites qui tournaient le dos à l'océan Indien et à ses moussons. Des vieillards, enroulés dans des couvertures rouges, fumaient de longues pipes. Des filles nubiles, à moitié nues, écrasaient du maïs pour la bouillie. Elles détournèrent leur regard de mon corps gris de saleté, surmonté d'un turban improvisé. À la sortie du village, mon corps tomba sur un débit de boissons clandestin en daube et torchis dont le toit en amiante était orné de guirlandes de Noël. Des ombres s'amoncelaient sous le break mal en point qui s'était arrêté à ma hauteur le jour précédent.

De la portière avant ouverte s'échappaient des voix fortes et la musique métallique provenant de la radio.

Mon corps franchit le seuil de la taverne et s'écroula aussitôt, relâchant son emprise sur mon esprit. Les clients s'agglutinèrent autour de mon cadavre. Tous parlaient en même temps. J'étais curieux de savoir ce qu'il adviendrait de ma dépouille mais mon esprit poursuivit son ascension et traversa le toit. Le débit de boissons rétrécit sous moi, les collines se ratatinèrent, l'horizon se courba tandis que la terre continuait de tourner, et mon regard remonta la route Imfene vers l'est, qui, une fois devenue une piste surmontée d'arbres rabougris, aboutissait à une plage constellée de rochers saillants et de sable brun, face à un océan furieux. J'observai l'océan avec émerveillement jusqu'à ce qu'il disparaisse derrière des nuages d'une blancheur surprenante.

Un liquide immonde se répandit dans ma gorge et je me réveillai en m'étranglant. J'avais réintégré mon corps. Assise près de mon lit de camp, une femme morose aux yeux rouges tenait un bol et une cuillère. De l'autre côté de la porte, je perçus de la musique, des conversations. J'observai la pièce : des habits pliés sur une étagère, un placard-lit masqué par un rideau, une énorme marmite au-dessus d'un feu de fumier.

— Oh ! Il est réveillé.

Le conducteur du break apparut au-dessus de l'épaule de la femme. Je me débattis faiblement contre la couverture bordée qui maintenait mes bras le long de mon corps.

— Comment te sens-tu ?

Les intestins de l'homme grondèrent et une détonation emplit la pièce.

— Je m'excuse.

Il mâchouillait un collier de racines passé autour de son cou.

— Je suis né avec un système digestif en bon état de marche. Dieu ne fabrique pas des gens malades.

Il se frappa la poitrine et rota.

— Moi, c'est tonton Yizo.

Je fermai les yeux, terrorisé à l'idée que ce fou furieux puisse être de ma famille, et l'obscurité me submergea.

Une semaine durant, la femme me fit avaler des cuillerées de son brouet infâme, m'exhortant à revenir parmi les vivants. « Peut-être qu'il ne mourra pas », disait-elle à Yizo chaque fois que j'ouvrais les yeux. Parfois, il y avait d'autres personnes dans la pièce, des personnes âgées. La femme connaissait la lignée de chacun des villageois. Elle récitait des arbres généalogiques remontant jusqu'à Dieu en échange d'un peu d'argent pour payer son tabac, et les vieux hochaient la tête en entendant des noms familiers.

Mon estomac reprit sa taille normale et la femme en profita pour forcer davantage de soupe dans ma bouche.

— Tu es encore plus pâle que ce que j'avais cru, dit-elle en me regardant de ses yeux cramoisis.

— Qui es-tu ? demandai-je d'une voix râpeuse faute d'avoir servi depuis des jours.

— C'est personne, répondit Yizo de derrière le rideau. Si tu as besoin d'elle, dis « Femme ».

La marmite se mit à bouillir et une volute âcre pénétra dans les yeux de la femme tandis qu'elle en remuait le contenu.

— Dors, maintenant, me dit-elle, et je basculai de nouveau dans l'inconscience.

Je me réveillai un soir, tard, et observai les yeux mi-clos la femme qui fumait sa pipe à la fenêtre, encadrée par les étoiles. Ses cheveux avaient des reflets roux ; sous sa peau mate perçaient des taches de rousseur. Perché sur le rebord, un babouin lui parlait doucement à l'oreille. J'entendis des ronflements en provenance du placard-lit.

— Je m'appelle Zenu, m'apprit-elle en se tournant vers moi.

Un bras de babouin mutilé flottait à la surface de la marmite ; la chair se détachait de l'os. Zenu me vit frissonner.

— C'est médicinal, m'expliqua-t-elle, puis elle tira à plusieurs reprises sur sa pipe. Pour que tu reprennes des forces.

Plus tard, quand je me réveillai de nouveau, le soleil filtrait à travers la fenêtre. Zenu se tenait au-dessus de son mari, un couteau à la main. Yizo pivota sur sa chaise afin de me faire face.

— Parfait, neveu. Tu es toujours en vie.

Son estomac gargouilla.

— Elles avaient dit que tu viendrais.

— Arrête de bouger, ordonna Zenu, qui tentait de couper les cheveux de son époux.

— Qui ça, elles ? demandai-je.

— Les voix de la nuit, répondit Yizo. Elles me parlent en rêve.

Zenu se saisit d'une touffe de cheveux et la sectionna à l'aide de son couteau.

— Les gens pensent que je suis simple, continua-t-il. Mais mon cerveau fonctionne. Moins vite, oui, mais plus prudemment. Les voix m'ont de nouveau parlé la nuit dernière.

Il déglutit, rota. Zenu lui savonna la tête et entreprit d'enlever les derniers poils au rasoir.

— Aïe! s'écria-t-il.

Un filet de sang macula la mousse à raser au niveau de son front.

— Si tu m'entailles encore une fois, espèce de vieille sorcière, je te roue de coups!

D'un bond, il se redressa et essuya son crâne luisant. Alors que Zenu finissait de balayer les mèches de cheveux, Yizo sortit, une pelle à la main, s'arrêtant un instant sur le seuil afin de vérifier que sa femme ne le suivait pas.

Ayant cessé de lutter contre le médicament, je repris vite des forces. Je m'étais tellement habitué au raffut du débit de boissons clandestin que je ne l'entendais plus. Quand je pus me tenir debout, Zenu jeta le reste de la potion pour remplir l'énorme marmite de légumes et de curry. Le fumier brûlant générait une fumée épaisse qui noircissait les murs et lui rougissait les yeux. Zenu retira le pot de chambre glissé sous mon lit.

— Maintenant, tu es assez vigoureux pour aller aux toilettes.

Elle me lança un des pantalons kaki de Yizo. Une tache d'urine à l'entrejambe me fit grimacer.

Dehors, il faisait nuit, ma peau brillait sous les guirlandes de Noël. Les toilettes n'avaient pas l'électricité et les murs avaient été peints en noir afin d'inciter les mouches à remonter vers les conduits d'aération où elles se trouvaient piégées par des grilles. Il n'y avait pas un souffle de vent, pourtant je perçus comme un bruissement en provenance des buissons, au-delà du parking. Translucide à la lueur de la lune, une silhouette surgit du sous-bois, entièrement nue, laissant voir ses parties génitales vieilles et fripées.

L'apparition se pencha en avant et ses cheveux furent balayés par une brise fantôme ; une mini-tornade se forma aux pieds du spectre, s'enroula autour de ses chevilles. Là où je me tenais, figé de stupeur par ce regard vide, tout était calme.

Je me précipitai, les yeux exorbités, dans le débit de boissons sans que personne me remarque. La cacophonie – bruits de bouteilles, de voix, radio, rires – n'arrivait pas à s'échapper par le toit en amiante et retombait comme une chape de plomb sur les hommes, les privant du moindre souvenir de leurs kraals ou de leurs familles. Assis en rond, ils buvaient au même tonneau une mauvaise bière au sorgho, à tour de rôle et en fonction de leur année d'initiation, puis ils exigeaient davantage de bière et de bouffe tout en épongeant les légumes au curry avec du pain. Des morceaux de miroirs brisés incrustés dans les murs en béton créaient l'impression d'un autre monde fragmenté, qui jouxtait le nôtre. La chaleur était étouffante, autant due aux corps pressés les uns contre les autres qu'au four à pain. Zenu et une jeune fille tenaient le bar.

— Fantôme ! hurlai-je en désignant le parking.

Zenu redressa brusquement la tête et Oncle Yizo s'interrompit au milieu d'une histoire.

— Alors tu l'as vu ? dit-il en m'installant sur une chaise. Buvons un coup, neveu !

La bière sentait la terre mais je la bus d'un coup en essayant de ne pas faiblir.

— Parfait ! s'écria-t-il. Si tu peux avaler cette bibine, tu es prêt à apprendre à te battre avec des bâtons !

Zenu fit de la place parmi les cadavres de bouteilles et un nouveau tonneau apparut. Deux hommes gravitèrent vers la bière fraîche. Vingt et un ans s'étaient écoulés depuis l'initiation d'Oncle Yizo. En tant qu'ancien, il but en premier et après que le tonneau eut fait le tour de l'assemblée, c'est encore lui qui le termina. Tour à tour, il crachait, fumait. Ses cigarettes n'étaient pas éteintes quand il les jetait sur un sol gluant de salive. Les jeunes se précipitaient pour ramasser les mégots incandescents.

Oncle Yizo se déhancha et péta.

— Foutues sauterelles. Faut que j'y aille.

Il finit son verre mais resta collé à sa chaise.

Zenu éclata de rire.

— Tu dois toujours y aller. Tu vas peindre une enseigne pour l'accrocher au-dessus de la porte ? Tu vas augmenter les prix inscrits sur le tableau ?

— Et toi, quand est-ce que tu me donneras un enfant ? rétorqua-t-il.

— Zenu, c'est qui, ce fantôme ? demandai-je.

— Ne prononce pas le nom de cette femme en ma présence, neveu ! Que Dieu t'épargne d'avoir jamais une épouse stérile.

Il jurait avoir été arnaqué sur le montant d'une dot qu'il ne recevrait jamais. Mais quand Zenu sortit du débit de boissons, il la suivit du regard. Puis il offrit de la bière aux jeunes hommes afin qu'ils restent attentifs à la suite de son histoire. Je rejoignis Zenu dans l'arrière-salle ; elle remuait les légumes au curry dans la marmite.

— Zenu ?

— Oui, mon enfant.

— C'est qui, ce fantôme, dehors ?

Zenu alluma sa pipe et tira longuement dessus.

— Avant, au village, il y avait une femme. Elle est partie vivre avec les Européens. Elle est restée avec eux si longtemps que son enfant est né blanc. Puis un autre enfant est arrivé, une fille. Mais Mahulda n'était pas blanche et elle fut offerte à Alexander afin de le servir et de le protéger.

La voix de Zenu avait pris ce rythme incantatoire qu'elle adoptait pour réciter les arbres généalogiques.

— Alexander grandit et épousa une femme blonde qui donna naissance à un enfant blond. Mais son deuxième enfant, une fille, était noir.

Zenu ramassa la couverture sur mon lit de camp et la roula en boule.

— Celle-là, son père l'étouffa, poursuivit-elle en serrant la couverture contre elle, avant de l'enterrer dans le jardin. Un an passa, peut-être plus, et l'homme commença à perdre la raison. Il errait dans toutes les pièces de sa maison, dans le jardin où il avait enterré sa fille, sur la route. Chaque jour, il s'éloignait un peu plus de sa famille et de la maison qui surplombait la tombe. Un jour, il marcha sans s'arrêter, la tête penchée sur le côté, comme s'il entendait des voix dans le sang qui battait à ses oreilles, et il suivit la route menant à ce village, l'endroit où était née sa mère.

— C'est le fantôme que j'ai vu.

— Absolument.

La fumée de la pipe virevoltait autour du nez, des yeux de Zenu.

— Dans ce village, il rencontra une femme simple et ils eurent un enfant, Zenu, ce qui signifie Écosse.

— C'est ton père, dis-je.

Elle hocha la tête.

— Ton grand-père paternel, me répondit-elle.

Le lendemain, Zenu me réveilla tôt.

— Yizo t'attend dans le bar. Méfie-toi de ses bâtons, me conseilla-t-elle. C'est comme ça qu'il a perdu la tête.

Dehors, Yizo me tendit deux bâtons de combat – dont un à l'extrémité étrange. J'examinai le bois rouge et en conclus que c'était ce bâton qui avait détruit ses facultés intellectuelles. Je le brandis dans les airs en poussant un grand cri et Yizo me frappa méchamment à la main.

— Surveille tes doigts !

Les premiers matins, nous combattîmes au ralenti. Yizo me montrait comment attaquer, comment esquiver. Mais, très vite, nous nous affrontâmes pour de bon, nos mains gauches enveloppées dans du tissu pour épargner nos jointures. Malgré les coups et les blessures, pas un cri ne nous échappait. Étonnamment rapide, Yizo parvenait à déjouer la plupart de mes offensives.

L'après-midi, nous courions. Au début, les graviers me rentraient dans les talons et me faisaient boiter.

— Non, non ! Tu cours comme un blaireau.

Yizo s'élança sur la route.

— Tu dois rebondir avant même que ton pied ne touche terre, m'expliqua-t-il en sautillant sur le bitume. Comme un oryx.

Je courus à côté de Yizo jusqu'à ce que mes poumons explosent et que j'implore une pause. Il me regarda d'un air incrédule puis évalua la route que nous venions de parcourir.

— Mais on aperçoit toujours le village !

Le deuxième jour, j'oubliai tout simplement de respirer mais mes pas se calèrent naturellement dans ceux de Yizo. Nous ralentîmes brièvement afin d'observer des babouins qui fourrageaient dans un champ d'ananas. L'un se tenait à l'écart du groupe et nous regardait. Yizo frissonna.

— Celui-ci est lié à un sorcier. Sans doute était-ce un homme avant. La nuit, on peut perdre son esprit sur cette route.

Le troisième jour, mon cœur cessa de battre ; Yizo et moi étions des oryx seulement préoccupés d'atteindre le village avant le crépuscule.

Le soir, j'avais les doigts enflés et les pieds en sang – parfois même un œil tuméfié ou une lèvre éclatée. Zenu sifflait quand j'entrais dans le bar.

— Yizo ne sait pas se débrouiller avec ses bâtons.

Une nuit, alors que la musique du bar était particulièrement forte et que mes blessures m'empêchaient de dormir, je sortis sur la véranda. Zenu quittait le bar avec un bol en croûte de pain rempli de pâté de lapin. Le babouin la suivait. Le vent de l'océan s'était levé, sans doute gèlerait-il cette nuit. Une chose blanche se déplaça dans les buissons et je frémis. Le fantôme du père de mon père émergea, accepta l'offrande. Zénu tenta de toucher sa peau incolore mais la silhouette nue s'évapora dans le bush.

Au bout d'un mois de combats, des muscles dessinaient mes épaules et mes avant-bras devenus saillants, des cicatrices renforçaient mes arcades sourcilières. Yizo était aux anges.

— Le sort a voulu que j'aie une femme stérile mais Dieu répare toutes les injustices avec le temps. Maintenant, j'ai un fils.

Un jour, j'annonçai à Yizo que je voulais affronter des hommes plus forts sur le terrain de lutte.

— Oh ! Ils t'ouvriraient le crâne comme un ananas, me dit-il. Tu ne peux même pas battre un homme avec des sauterelles dans l'estomac.

Il me tendit les bâtons.

— On reprend.

Non seulement j'avais récupéré mon énergie mais aussi mon foutu caractère, et je fonçai dans le tourbillon des bâtons de Yizo sans esquiver, parant chacun de ses coups, le frappant au niveau des oreilles. Terrassé, il tomba sur les fesses, jambes en l'air ; je vis là l'occasion de mettre fin à ce combat et d'obtenir le droit d'affronter les plus forts. J'assénai un violent coup de bâton entre les cuisses de Yizo, et *pan !* sur l'entrejambe. Depuis la véranda, tante Zenu secouait la tête.

Yizo se releva sans mal.

— Parfait, neveu !

Me voyant stupéfait, il rit.

— Qu'est-ce que tu regardes ? Je suis un homme !

Zenu rentra à l'intérieur.

— Laisse-moi te dire, neveu, il existe des douleurs bien pires, aussi douloureuses que tu sois à terre ou debout, me lança Yizo.

Je feignis de ne pas remarquer qu'il s'était uriné dessus.

Les problèmes digestifs de Yizo empirèrent. Un soir, je vis ma tante coller ses lèvres sur le ventre gonflé de son mari. Elle prit une grande inspiration, suçant et aspirant la peau jusqu'à ce qu'elle soit bien tendue. Puis ses joues se mirent à vibrer, à grésiller. Zenu posa sa main sur sa bouche et une sauterelle atterrit dans sa paume.

Ils m'emmenèrent voir un homme si vieux que même Zenu ne connaissait pas son nom. Les villageois l'appelaient simplement *M'dala*, ce qui signifie « vieil homme ». M'dala jeta à ma tante un regard contrarié et lui dit d'attendre dehors, près du kraal, mais elle le suivit dans la maison.

Yizo parlait doucement, comme en présence d'un ancêtre.

— J'ai entendu dire que vous alliez procéder à une initiation. J'espérais que vous pourriez prendre aussi mon neveu.

Le vieil homme m'examina, sourcils froncés.

— Tu ne devrais pas cogiter autant avec ton cerveau tout abîmé. Je risque la prison si j'initie un garçon blanc. Allez-vous-en.

Zenu intervint.

— Ce garçon est xhosa. Seule sa peau est blanche. Son arrière-grand-mère, c'est Ukusaba, la fille de Ngamathamb.

Ukusaba avait quitté Ciskei depuis plus de cent ans, mais les yeux de M'dala s'écarquillèrent à son nom.

— Sa peau est encore plus pâle que celle de son grand-père.

— Vous connaissiez mon grand-père ? demandai-je.

— Tais-toi ! lâcha Yizo. On parle.

À la porte apparut un homme voûté que M'dala emmena dehors, dans le kraal. Le visiteur choisit une jeune vache et repartit avec.

— Regarde bien, me dit Yizo. La femme de cet homme est morte en couches mais il n'a pas assez d'argent pour acheter du lait. M'dala lui prête sa vache.

M'dala revint, fier de lui.

— Comment pourrais-je profiter de ma vie sachant qu'un bébé n'a pas de quoi se nourrir ?

Zenu marmonna mais M'dala l'ignora et se tourna de nouveau vers moi.

— Il est jeune, tu sais, mais peut-être qu'on peut faire une exception.

En rentrant, Yizo resplendissait de bonheur.

— C'est un très beau cadeau ! Pas un de tes ancêtres blancs ne sait quel jour il est devenu un homme.

La veille du jour où M'dala devait venir me chercher, mon corps refusa de s'endormir. J'étais toujours réveillé quand Zenu entra dans la pièce, les mains couvertes de terre.

— Combien de garçons partent avec toi ? demanda-t-elle.

— Deux, répondis-je.

Zenu soupira, alluma sa pipe.

— À la belle époque, c'étaient des dizaines de garçons qui partaient en initiation et il y avait des concours de danse entre les hommes non initiés de tous les villages le long de la route. À présent, nos hommes partent travailler dans les mines ou dans les ports. Ceux qui restent dépensent leur temps et leur argent dans le bar de Yizo. Et il est toujours fâché pour cette histoire de dot.

— Elle était de combien ?

— Pas grand-chose. Yizo a accepté de nous nourrir, mon père et moi. On mourait de faim. Personne n'a jamais offert de nous prêter une vache laitière, railla-t-elle en tirant sur sa pipe qui scintillait dans la pénombre. Yizo pensait que mon père mourrait peu après notre mariage. Au lieu de ça, ton grand-père a pris du poids grâce à la nourriture de Yizo, restant allongé toute la journée sur le lit de camp où tu dors. Jusqu'à ce qu'un jour Yizo le chasse de la maison.

Elle renversa le tabac de sa pipe dans le feu.

— Et maintenant, il vit dans le bush, dissimulant sa peau sous une couche de cendres.

Zenu retira d'entre ses seins un foulard roulé en boule, le déposa sur l'étagère et entra dans le bar afin de renvoyer la barmaid et les derniers clients chez eux.

J'écoutai pendant quelque temps les ronflements de Yizo puis grimpai sur une chaise et attrapai la boule de tissu que je dépliai. J'en examinai le contenu avec étonnement : une touffe de cheveux de Yizo couverte de terre.

*

Nous descendîmes à la rivière. M'dala nous demanda de construire chacun une sorte de ruche avec des bouts de bois et des vieux sacs de ciment vides – il n'y avait pas assez de feuillage pour fabriquer un toit de chaume à l'ancienne. Puis il nous ordonna de nous raser le crâne. À chaque ordre, j'avais le sentiment que des générations d'initiés s'éveillaient en moi et que leurs cheveux rasés se mêlaient aux miens sur la rive boueuse.

— Enterrez bien vos cheveux, là où aucun sorcier ne les trouvera, nous prévint M'dala.

Yizo et d'autres hommes âgés du village vinrent procéder à des rituels qui avaient eu un sens autrefois, désormais dilués dans les traditions. On donna à chaque garçon un knobkierrie[1] sculpté dans du bois de mimosa, la queue tressée d'un bœuf à passer autour de la tête et une couverture blanche en coton brut – « pour symboliser la pureté et la sainteté », expliqua M'dala. Nous plongeâmes dans la rivière où le courant chuchotait sur le même ton incantatoire que

1. Type de bâton utilisé dans l'est et le sud de l'Afrique, qui possède un embout rond.

Zenu quand elle racontait les arbres généalogiques. Nous enduisîmes nos corps de beurre, frottâmes notre poitrine avec des fourmis pour nous endurcir, et M'dala nous proclama initiés.

Yizo amena une chèvre blanche, qui fut sacrifiée et grillée sur un brasier en bois de palme jusqu'à ce que sa chair carbonisée devienne amère. Les nouveaux initiés mâchouillèrent les morceaux pleins de nerfs des membres antérieurs, tandis que les anciens mangèrent les chairs plus tendres et, au loin, nous entendions les femmes pleurer leurs enfants perdus.

La dernière nuit de mon enfance, je dormis dans ma hutte-ruche et rêvai que le babouin me murmurait, avec la voix de ma tante Zenu : *C'est pour ça que ton corps t'a amené jusqu'ici.*

Le chirurgien arriva alors que le soleil montait au-dessus de la rivière. Il était aussi vieux que M'dala et il n'y aurait personne pour le remplacer quand il mourrait. Il entra dans ma hutte en agitant une sagaie.

— Lève-toi en ce premier jour de ta vie d'homme ! s'écria-t-il. Où est ce chien, ce truc que je dois transformer en homme ?

Il brandit la sagaie dans ma direction, visiblement peu dérangé par la couleur de ma peau.

— Quittez ce chien, esprits cruels et mauvais !

C'étaient des mots anciens, les rares mots anciens dont il se souvenait. Les autres étaient perdus. Il me poussa dehors et je vins me poster à côté des garçons, épaule contre épaule, le regard bien droit, la mâchoire et les poings serrés face à la douleur à venir.

M'dala et les autres hommes nous entourèrent – au cas où nous tenterions de fuir. Sans prévenir, le chirurgien tira sur mon prépuce afin de l'écarter de mon pénis et, après avoir fait tournoyer sa sagaie, il le sectionna. Une violente douleur se propagea dans ma poitrine, m'engourdissant les doigts et les orteils, saisit chacun de mes muscles, arrêta même un instant les battements de mon cœur, et mes poumons se bloquèrent. Peu importait, le chirurgien continuait de couper et mon corps continuait de refuser de trembler ou de crier.

Chaque douleur a sa propre odeur : celle-ci sentait les feuilles fraîches et les copeaux de fer. Tandis que le sang de mon enfance se déversait à mes pieds, je voyais mon image déformée à travers des dizaines de générations xhosas, désormais vieillards ou ancêtres, à cet instant décisif de leur vie, et mon corps refusait toujours de tressaillir, même quand le chirurgien jeta mon prépuce par terre.

— Tu es un homme !

Je ramassai l'anneau de peau et répondis, comme me l'avait appris M'dala :

— Je suis un homme !

Le chirurgien passa au suivant, circoncisant les autres garçons, et nous partîmes, chacun de son côté, notre prépuce bien serré dans la main.

Quand je balançai les restes de mon enfance sur une fourmilière, les insectes se jetèrent dessus avant de les tirer dans leurs galeries, me laissant seulement une douleur cuisante.

La première semaine, abandonné sur ma couche en paille dans l'obscurité de ma hutte-ruche, je saignai et transpirai. M'dala m'apporta de la bouillie de maïs et de l'eau mélangées à des fourmis pour accélérer ma guérison, il pansa ma plaie à l'aide de joncs écrasés enveloppés dans des feuilles de ptaeroxylon.

Le huitième jour, les hommes vinrent m'inspecter. Ils reculèrent quand M'dala retira le cataplasme et le visage de Yizo prit une teinte aussi grise que la peau de mon entrejambe.

— Les fourmis n'ont pas encore mangé tout le prépuce, dit M'dala. Si un sorcier le trouve, la blessure ne cicatrisera jamais.

La plaie se remplit d'un pus à l'odeur aigre. Une note aiguë envahit mes oreilles et, alors que j'étais allongé sur le dos, baigné de fièvre, je compris que la complainte provenait de mon propre corps qui révélait ses souffrances à tout le camp, ainsi qu'aux femmes du village au-delà de la rivière, lesquelles veillaient pour la guérison de leurs fils, neveux et petits-fils. Les femmes se joignirent à mes stridulations, partageant mon agonie, et tandis qu'une nouvelle vague de douleur me terrassait, tous les oiseaux des arbres s'envolèrent en même temps, ajoutant leurs piaillements à la cacophonie qui s'étirait jusqu'à l'horizon, ébranlant la nuit de leurs battements d'ailes.

Envahi par la douleur et la fièvre, je m'élevai, laissant mon corps cuisant à terre. Mon esprit flottait, aussi léger qu'un oryx, au-dessus d'un vaste panorama de continents et de mers.

Quand je me réveillai dans mon corps, le babouin se tenait sur le seuil de la hutte. Je secouai la tête pour dissiper le flou de mon cerveau ; la silhouette à mon chevet était celle de ma tante, qui me prit alors dans ses bras et me porta dehors, au soleil.

La coutume interdisait tout contact entre un homme à vif et une femme, Yizo la chassa d'un geste de la main.

— Va-t'en, femme ! M'dala va s'occuper de lui.

Elle le fusilla du regard.

— Comme il s'est occupé de toi ?

Yizo la regarda d'un air suppliant tout en m'observant du coin de l'œil mais sa femme pénétra dans ma hutte-ruche, balaya la paille imbibée de sang et frotta le sol avec du fumier jusqu'à ce qu'il luise comme une pierre polie. Ensuite, elle m'y installa et retira le cataplasme de M'dala. Mes parties génitales donnaient l'impression d'avoir été sculptées à partir de la boue fétide qu'on trouvait sur les berges de la rivière.

Cette nuit-là, Zenu me berça dans ses bras. Je repoussai faiblement son étreinte.

— Repose-moi, femme. Je suis un homme.

— Vraiment ? répondit-elle.

Elle me porta à la rivière et nous observâmes, cachés dans les joncs Yizo qui se baignait au clair de lune. Quand mon oncle se tourna vers la rive où nous étions tapis, j'eus un mouvement de recul. Yizo n'avait ni pénis ni scrotum, simplement une touffe épaisse de poils pubiens.

De retour dans la hutte, Zenu examina la peau morte entre mes jambes.

— Oui, tu as un corps d'homme, à présent.

Avec la graisse d'un serpent de rivière, elle fabriqua un nouveau cataplasme pour mes parties génitales, recouvrant le tout de boue.

— Qui d'autre est au courant pour Oncle Yizo ? demandai-je.

— Tout le village. M'dala a examiné sa plaie.

— Alors pourquoi prétend-il que tu es stérile ?

Sa pipe s'était éteinte et pendait lâchement entre ses lèvres.

— Entre eux, les hommes passent leur temps à faire semblant.

Le lendemain matin, Zenu m'allongea à l'arrière du break et Yizo nous conduisit à la mer, ainsi que le lui avaient conseillé les voix dans son rêve. Le tissu de la banquette sentait le sang séché et le poil de babouin. Bien calée dans les ornières, la voiture suivait la route qui serpentait avant d'aboutir à l'océan. Zenu et Yizo m'installèrent dans l'écume, immergeant mes parties génitales martyrisées dans l'eau de mer jusqu'à ce que je m'évanouisse.

Cette nuit-là, je fus réveillé par le bruit d'une allumette qu'on craque. Je rampai jusqu'à l'ouverture de ma hutte et vit Zenu mettre le feu à la boule de cheveux déterrée de l'oncle Yizo. Elle ajouta des mues séchées de sauterelles aux cendres, broyant la mixture avec une cuillère en bois et réduisant le tout en une poudre grossière. Les braises irradiaient dans sa pipe, éclairant ses yeux injectés de sang tandis qu'elle récitait sa litanie. Elle versa des légumes au curry dans un bol en pain, y ajouta la poudre ensorcelée et apporta le tout à Yizo qui attendait son dîner près du feu.

Je guéris et il fut bientôt l'heure pour moi de me montrer. M'dala m'expliqua comment enrouler le doek autour de ma tête à la manière des hommes célibataires. On me donna une nouvelle couverture en laine rouge, la couleur de mon peuple, ainsi que le knobkierrie que mon oncle avait sculpté et noirci à la fumée. Les vieux me pourchassèrent jusqu'à la rivière.

— *Hamba hamba!* Va comme doit aller un homme petit et vil. Ne regarde pas vers le passé, il se consume derrière toi.

Les flammes crépitèrent quand ils mirent le feu à ma hutte-ruche. Je me lavai dans la rivière et recouvris mon crâne rasé de graisse animale, la répandant approximativement ensuite sur mon visage, mon torse, mes jambes. Puis je me frottai la peau à l'argile jusqu'à ce que je brille comme un fantôme.

— Maintenant, tu dois mener une vie exemplaire. Fini toutes ces bêtises, déclara M'dala.

Sur les terrains de lutte, les villageois badigeonnèrent leur visage d'argile blanche et ouvrirent des tonneaux de bière. Je dansai avec des clochettes autour des chevilles faites à partir de cocons ramassés sur des arbres à mimosa, et les vieillards m'expliquèrent que j'étais enfin un homme et non plus un chien, une chose.

Yizo ne buvait pas.

— Trop de sauterelles, m'expliqua-t-il, et il rentra tôt chez lui afin d'attendre les instructions des voix qui lui parlaient dans ses rêves

Les autres jeunes se tenaient devant leurs chéries qui inspectèrent leurs plaies toutes neuves avant de les entraîner dans les hautes herbes. Tante Zenu s'assit à côté de moi dans la pénombre.

— Regarde autour de toi, me dit-elle. La terre est épuisée. Notre bétail diminue. Il n'y a plus de combats à mener. Nos hommes sont perdus. La circoncision ne leur sert plus qu'à déterminer dans quel ordre ils ont le droit de boire.

Les étoiles vibraient dans le ciel tandis que les hommes buvaient et dansaient tranquillement.

— Est-ce que tu connais mon père ? demandai-je.

— Je l'ai rencontré une fois. Son corps l'a amené jusqu'ici, répondit Zenu en enfonçant une pincée de tabac dans sa pipe. Mais il s'est enfui avant l'arrivée du chirurgien.

Elle éclata de rire face à ma surprise.

— Il n'y a pas de coïncidences ici, reprit-elle.

Elle se leva et marcha jusqu'au bord du terrain de lutte où se tenait son propre père, nu et couvert de cendres, attendant son dîner dos au vent.

Quand le soleil se leva au-dessus des buveurs de bière, les villageois se tournèrent vers moi ; j'étais assis par terre, dans mon corps d'homme. Des vagues de chaleur ondulaient sur la route. J'observai le village, l'horizon au-delà, et mes yeux s'asséchèrent.

A, comme Ancêtres

Les pluies, 1969

P, comme Pluie. Dans le *Dictionnaire illustré de Fructman pour les petits*, un canard tient un parapluie afin de se protéger des grosses gouttes.

Les rats vinrent avec les pluies. La nuit, nous les entendions ramper le long des murs, sous les lattes du plancher, et le crissement de leurs petites griffes nous poursuivait jusque dans notre sommeil. Le matin, la sciure tombait directement des fissures du plafond dans notre porridge, tandis que les rongeurs usaient leurs longues dents sur les poutres. L'après-midi, ils dormaient dans des recoins, sous le toit en tôle, et la maison sombrait dans le silence.

Ça sentait le roulis sous les « r » de Mr Gordon, un accent acquis pendant ses années passées en Écosse, là où il avait rencontré Mrs Gordon. Qui sait s'il ne s'était pas rendu dans ce pays après avoir entendu dire que les femmes y étaient pâles et blondes ?

— Rrats, disait-il en observant les monticules qui parsemaient le plan de travail de la cuisine.

Il allait chercher les roulements tout au fond de sa gorge.

— Fichus rrats.

En cette douzième saison des pluies, en ce qui me concernait, les jours se comptaient en degrés, comme l'air au grenier dont la température baissait à mesure que l'ombre des montagnes progressait. Il y avait deux types de pluie : un déluge d'énormes gouttes qui me martelaient le crâne à le faire exploser, et une douce bruine qui s'infiltrait sous les cols, entre les coutures des vêtements, les imprégnant d'humidité. Au crépuscule, quand les rats sortaient de leur léthargie, Mr Gordon se levait de table sans s'excuser et montait à l'échelle du grenier afin de placer de la viande en conserve dans ses pièges. Il emportait aussi une bière, qu'il buvait plié en deux sous le toit en fer en respirant la chaleur emmagasinée pendant la journée, ainsi qu'un de ses énormes livres de comptes – le coup de grâce, j'imagine, pour tout rat qui serait parvenu à survivre aux pièges. Sans doute chérissait-il ce temps passé sans Mrs Gordon ni moi, car il restait dans le grenier, lisant à voix haute son énorme livre à la lueur d'une lampe torche, jusqu'à ce que le froid l'en chasse. La litanie des reçus et des dépenses inscrits dans le *Livre des nombres* nous parvenait, étouffée et désincarnée, en même temps que la sciure.

Mr Gordon remplissait en trois semaines les colonnes d'un livre de comptes entier, où il notait, au crayon à papier, de son écriture soignée, toutes les transactions de sa vie. Chaque glace qu'il m'achetait les jours où l'on me coupait les cheveux devenait une *Créance client*, et chaque fois que je terminais une corvée dans la maison, il la déduisait de ma dette globale. Un baril d'essence était un *Actif* amorti sur les routes de montagne parcourues pour l'aller-retour quotidien de la maison à son magasin de meubles d'Umtali. Les foulards aux couleurs vives qu'il offrait à Mrs Gordon entraient dans la catégorie *Survaleur*.

Des années auparavant, Mr Gordon avait demandé à Sundayboy Moses, son menuisier, de lui construire un meuble de rangement d'un seul bloc, aux angles biseautés, pour son bureau situé au-dessus du magasin – un mur entier couvert de tiroirs du sol au plafond, chacun de la taille d'une malle, où enfermer les livres de comptes. Les tiroirs coulissaient grâce à des roulements à billes récupérés sur les roues des tracteurs hors d'état qui jonchaient les terres de la réserve. Ce fut le dernier meuble fabriqué par Sundayboy Moses – son chef-d'œuvre en quelque sorte, avant qu'il ne parte en boitant vers la rivière Innommable où Dieu réside.

Au départ de Sundayboy Moses, le magasin de Mr Gordon comptait quatre employés : Mr Tabori, un commercial italien qui avait fui en Rhodésie après la chute de Mussolini ; deux manutentionnaires, Now Now et Pamwe, qui gagnaient le salaire minimum en déchargeant des meubles le matin et en assurant les livraisons l'après-midi ; et la femme de ménage, Mrs Moses, qui récurait les toilettes de Mr Gordon, vidait ses poubelles, nettoyait ses chemises et ses caleçons, astiquait à la cire les lourds tiroirs en bois fabriqués par son mari.

Mr Gordon ne voulait plus que des Africains vivent sous son toit ; par conséquent, je devins son domestique. Je lui servais sa bière et son verre de scotch quand il rentrait chaque soir, je massais ses pieds douloureux et vivais sur sa propriété tel un squatteur.

Le bungalow se trouvait dans une vallée reculée des montagnes de l'est de la Rhodésie, à l'écart du monde et du temps. Mon calendrier était réglé par la longueur de mes cheveux. Deux coupes à ras par mois, vingt-quatre par an. Le premier et le troisième mercredi de chaque mois, j'accompagnais Mr Gordon à Umtali. Il examinait ma tête avant notre départ, glissant ses doigts entre mes mèches.

— Tu as les cheveux de ta mère, affirmait-il, satisfait.

Sur ce point, il me fallait lui faire confiance car je n'avais jamais vu Mrs Gordon autrement que les cheveux ramassés en chignon sous un foulard censé la protéger de la climatisation poussée à fond, même pendant les rares nuits fraîches de la saison des pluies. Les portraits de ses ancêtres écossais pendaient au mur de sa chambre, figés et immortels dans leur monde sépia – cinq fils adultes entourant un patriarche, sans compter un petit garçon en kilt avec des couettes et un pilote du Royal Flying Corps. Ils m'observaient de leurs yeux durs comme pierre, bouche pincée, mains croisées. Je n'entrais dans la chambre de Mère qu'au coup d'une sonnette de bicyclette. Les poils des bras hérissés, je venais alors déposer un plateau avec un repas froid sur ses genoux et repartais avec un pot de chambre débordant ; elle ne m'adressait jamais la parole.

Quant à Mr Gordon et moi, nous ne parlions jamais de sa lignée. C'était entendu entre nous, un secret entre père et fils que ma mère ne devait pas découvrir. Ce secret remplissait toutes les pièces de la maison, tous les recoins, toutes les fissures, laissant à peine la place aux rats.

Nous partions à l'aube, avant que le soleil n'apparaisse derrière les montagnes et ne s'infiltre dans le bungalow à travers les nuages de pluie – jamais dans la chambre de ma mère, orientée à l'ouest et dont les rideaux étaient toujours tirés. Penché sur le volant de sa Ford anglaise, Mr Gordon se lançait sur l'autoroute de montagne, scrutant les crêtes à la recherche de guérilleros, réputés pour se faufiler dans les montagnes orientales, saccager une ferme isolée ou détrousser un conducteur. Le pare-brise s'opacifiait et s'éclaircissait à chaque passage des essuie-glaces, nous offrant un aperçu intermittent de ce paysage truffé de dangers.

La plupart des propriétaires de véhicule restaient désormais chez eux, par peur et par pragmatisme, car il devenait difficile de trouver de l'essence et des pièces détachées pour les réparations ; les vieilles voitures étaient d'ailleurs abandonnées en bordure de route, à l'endroit où elles avaient calé. Alors que, sous une pluie diluvienne, nous progressions sur une autoroute infinie, déserte et silencieuse, il me semblait que Mr Gordon et moi étions les derniers habitants de la terre.

Un jour, au détour d'un virage, nous tombâmes sur un arbre en travers de la route. La voiture dérapa, et alors que Mr Gordon tentait de contrôler son véhicule sur la chaussée glissante, un des énormes livres de comptes alla percuter le pare-brise. Arrêtés net au beau milieu des branches et des feuilles, nous vîmes une dizaine de Shonas barbus, les yeux écarquillés, émerger des ombres une machette à la main, sans nul doute pour nous égorger à l'endroit même où nous étions assis, coincés par nos ceintures de sécurité. Mr Gordon brandit le livre de comptes devant lui comme un bouclier.

En réalité, c'étaient l'éclair qui avait frappé l'arbre et une bourrasque qui l'avait placé en travers de notre chemin ; ces hommes appartenaient à une équipe de maintenance venue dégager la route. Sous la vieille salopette jaune qui laissait épaules, genoux, chevilles et parfois même leurs parties génitales exposés à tout vent, on apercevait leurs muscles saillants dans l'effort. Ils entonnèrent une chanson délirante, *wari wari wari*, tout en sectionnant les branches de l'arbre, avant de pousser le tronc dans le ravin. Puis ils partirent au petit trot, chantant toujours les deux mêmes syllabes à l'unisson, et s'évanouirent dans la brume qui s'accumulait entre deux orages – silhouettes délavées à l'allure bondissante.

En fin de matinée, nous prenions place chez les barbiers shonas – Mr Gordon ne voyait pas l'intérêt d'aller chez un coiffeur stylé pour une coupe à ras, surtout il n'aimait pas l'idée qu'un Européen mette son nez d'un peu trop près dans nos cheveux. À la vue de notre peau blanche, les barbiers nous asseyaient immédiatement dans des fauteuils mitoyens. Ce jour-là, je pris l'*Umtali Post* et tournai les pages en même temps que Mr Gordon. Alors que les barbiers passaient nos cheveux à la tondeuse, celui-ci me tendit son journal et me désigna, en une, la photo d'une voiture renversée sur une autoroute de montagne. Les portières étaient criblées de balles. Je fixai le véhicule du regard en m'imaginant à l'intérieur.

— Qu'est-ce qu'il y a d'écrit ? demanda-t-il. J'ai oublié mes lunettes.

La tondeuse vrombissait dans mes oreilles.

— Eh bien, vas-y.

Je m'agitai dans mon fauteuil.

— Bon sang, fiston, lis !

Devant cet éclat de colère, les deux barbiers shonas cessèrent de tondre, ne sachant s'ils devaient continuer.

Je regardai bêtement le journal.

Mr Gordon fronça les sourcils et désigna le titre en une.

— Lis ça, alors.

Je haussai les épaules.

— Bordel, murmura-t-il d'une voix désormais dénuée de toute irritation. Tu ne sais pas lire.

À douze ans, j'étais illettré, résultat du culte que Mr Gordon vouait au secret. Six ans auparavant, il m'avait conduit dans un pensionnat militaire pour garçons non loin de Salisbury, mais nous en étions partis brusquement après notre rendez-vous avec le proviseur. Au retour, Mr Gordon s'était arrêté sur le bas-côté et avait éteint le moteur, contemplant le lointain pendant un long moment à travers le pare-brise, ses mains serrant le volant, comme pour résister à l'orientation qu'avait prise sa vie. Le formulaire d'inscription gisait entre nous sur le siège, accompagné d'une demande d'autorisation froissée qui, une fois signée, permettait à l'administration de mener une enquête plus approfondie sur notre famille. C'était une formalité, mais cette simple idée terrorisait mon père au-delà du possible, et je repris mon existence tranquille à la maison. Le problème de mon éducation ne fut plus jamais mentionné.

Nous restions assis dans nos fauteuils, sans mot dire.

— Évidemment que tu ne sais pas, conclut-il doucement.

Les Shonas reprirent la tonte et les mèches tombèrent sur ma nuque. À la fin, les barbiers firent tourner nos fauteuils face au miroir d'un geste théâtral et, dans un bel ensemble, Mr Gordon et moi hochâmes la tête d'un air distrait.

— Allez, viens, me dit-il.

Je le suivis alors qu'il se frayait un chemin parmi les clients shonas qui attendaient qu'un fauteuil se libère. Dehors, il pleuvait à verse. Les gouttes rebondissaient sur nos têtes rasées, l'humidité traversait nos vêtements et même nos peaux.

Mon père conduisit jusqu'à une librairie. Je l'attendis dans la voiture, observant les policiers en train d'arrêter des gens de couleur noire afin d'inspecter radios, paquets et sacs, à la recherche de bombes. Une jeune Shona fut contrainte de sortir sa blouse de sa ceinture et de montrer l'envers de sa jupe. La rue se vida aux premiers éclairs suivis de plusieurs coups de tonnerre. Plus d'arrestations en vue. Les policiers trouvèrent refuge sous un kiosque à journaux. Les gouttes tombaient sur le toit en tôle de notre Ford anglaise – construite en Rhodésie, avant l'embargo sur les pièces détachées – avec le bruit d'un tambour *bira*. Les esprits anciens, malmenés par le vent, prirent d'assaut les vitres de la voiture et le tonnerre se transforma en un concert de pieds nus frappant le sol à l'unisson. Je dormais quand mon père émergea de la librairie avec un exemplaire du *Dictionnaire illustré de Fructman pour les petits*.

Le dos du livre noir avec des rayures dorées m'évoqua un costume que Mr Gordon avait acheté mais ne portait plus, du moins pas depuis qu'un homme de couleur vêtu du même costume était venu frapper à notre porte. Cela faisait des années que Mr Gordon n'avait pas invité qui que ce soit, domestiques ou visiteurs, à la maison. Sur le seuil, l'homme s'était réclamé d'une des nombreuses sectes religieuses qui poussaient comme des champignons en ces temps troublés. La vision de mon père et de son *doppelgänger* africain s'observant de chaque côté de la fenêtre à barreaux qui donnait sur la véranda, chacun portant le costume de l'autre, m'avait fortement marqué. Mais cet aperçu d'un monde qui évoluait parallèlement au nôtre n'affecta pas moins mon père, qui se retira aussitôt dans son bureau, laissant l'évangéliste planté là.

Le mercredi, les magasins fermaient plus tôt à Umtali, ce qui était un soulagement pour nous deux. Mr Gordon n'était pas obligé de traîner dans l'épicerie pour lire les petites annonces punaisées sur le tableau en liège au-dessus de la caisse, ou d'inspecter le vernis de ses chaussures, ou de faire craquer les jointures de ses doigts, en attendant que je termine ma glace. Ni moi d'endurer ce spectacle. Comme toujours, nous rentrâmes à la maison en silence, avec pour seule compagnie le va-et-vient humide des essuie-glaces, la radio qui murmurait de manière à peine audible et les lumières des feux de circulation qui se reflétaient sur le bitume mouillé.

— À partir de maintenant, tu viendras avec moi au magasin, lâcha-t-il enfin. Et tu apprendras à lire comme n'importe quel homme blanc.

Le pare-brise s'opacifiait et s'éclaircissait à chaque passage des essuie-glaces, et ainsi prirent fin mes journées de liberté stérile à la maison.

*

M, comme Magasin. Dans le *Fructman*, un bonhomme joyeux se tient en tablier devant une épicerie aux étals vides.

Le magasin de meubles était situé dans le quartier commerçant, sur Main Street, une rue bordée de palmiers, où les Africains attendaient que les Européens aient été servis avant de faire leurs courses. Finances obligent, Mr Gordon devait traiter avec des Africains pour ses affaires, mais il détestait ça et se vengeait sur les cireurs de chaussures installés en face du magasin, donnant des coups de pied dans leurs boîtes, envoyant valser chiffons et cirages, puis appelant la police pour en être débarrassé.

Au premier jour de mon apprentissage, Mr Gordon me fit asseoir face à la moitié vide de son bureau de ministre en bois massif, fabriqué par Sundayboy Moses. Tout comme le grand meuble de rangement, le bureau voyait toutes ses pièces s'encastrer parfaitement sans colle ni clous.

Sundayboy avait aidé Mr Gordon à monter son magasin et construit la majeure partie des biens à vendre. Il avait dû recevoir ce don à la naissance, car les peuples de la rivière Innommable ne connaissaient rien à la menuiserie et fabriquaient uniquement ce qu'ils pouvaient transporter dans leurs barques : couteaux, matraques, enfants.

De mon côté, j'entrai en combat singulier avec le *Dictionnaire illustré de Fructman pour les petits*. La première lettre du mot qui correspondait au dessin d'une étendue d'eau était la même que celle du mot qui correspondait à l'image de Magasin. « Océan », dis-je à voix haute, feignant de lire. J'avais examiné le livre pendant une bonne heure sans faire l'association.

— C'est « Mer ».

Mr Gordon avança la main et frappa la lettre « M » de son index.

— Mê ! Mê !

Il faisait montre de la même impatience avec ses magasiniers – surtout avec Now Now, qui répondait à toutes les injonctions par : « Oui, *baas*, je m'en occupe maintenant maintenant. » Pour les Shonas, « Maintenant » pouvait aussi bien dire dans deux heures que dans deux jours. « Maintenant maintenant » signifiait simplement un peu plus vite que « Maintenant ». L'impossibilité de transmettre un sentiment d'urgence à ses employés était une source de frustration permanente pour Mr Gordon.

Ma bataille avec le *Fructman* fut interrompue par l'arrivée de Now Now. Il était en retard car l'un des camions qui amenaient les travailleurs depuis la réserve était tombé en panne. Planté devant son employeur, Now Now tirait sur sa barbe. Mr Gordon prit un air paternaliste.

— Tu ne peux pas arriver quand bon te semble, Now Now. Les meubles ne vont pas se décharger tout seuls.

— Oui, c'est un gros problème.

— Tu veux que je mette la clé sous la porte ?

— Non, jamais, *baas*.

— La fainéantise et le manque de discipline mènent à ça.

Le magasinier shona avait dix ans de plus que Mr Gordon, mais ce dernier lui parlait comme à un enfant.

— Oui, *baas*, ce n'est pas bien.

— Je vais devoir réduire ton salaire.

— Oui, *baas*, bien sûr.

— Maintenant, décharge-moi ça dans le showroom.

— Oui, maintenant maintenant, *baas*.

Loin de juger son employeur responsable de ses ennuis, Now Now s'affaissa contre le mur.

— Ce sont les ancêtres qui me jouent encore des tours, dit-il, et Pamwe hocha la tête avec sympathie. Comme je n'ai pas de quoi leur offrir de la viande et de la bière, ils s'agitent. Le camion tombe en panne, mon salaire est réduit, et ça cause encore plus de malheur.

Mr Gordon avait apporté des sandwichs pour notre déjeuner.

— Voici un peu de viande pour l'autel de tes ancêtres, proposai-je en tirant une tranche de rôti froid d'entre deux tranches de pain.

— Non, non, petit *baas*, dit-il en acceptant mon offrande. Pas d'autel, pas de statues. Je ne suis pas un foutu Pygmée ni un catholique portugais. Les ancêtres se fichent de l'endroit où ils reçoivent leur viande et leur bière. N'importe où ira. Porte-toi bien, petit *baas*, il faut que j'aille travailler, maintenant.

Il s'assit par terre contre le mur et observa le trésor graisseux dans ses mains. J'aurais été étonné d'apprendre que l'offrande était parvenue à ses ancêtres.

Je mangeai le pain et retournai au bureau observer les lettres jusqu'à ce qu'elles se mettent à danser sur la page. Par la fenêtre, je contemplais la petite maison de Mrs Moses, puis le haut du crâne de Mr Gordon, penché au-dessus de ses livres de comptes. Ses cheveux se rebellaient pendant la saison des pluies malgré le soin bimensuel, et il avait pris pour habitude de dessiner une mince raie au rasoir pour maintenir l'illusion qu'il était blanc.

Quand la douleur dans notre dos se faisait trop vive à force d'être restés assis, nous partions jusqu'au quai de déchargement où je regardais Mr Gordon cracher dans les graviers. Mon père crachait magnifiquement bien, autre trahison de son héritage africain. Il recueillait la salive à l'arrière de sa gorge, mais pas de manière ostentatoire, pas comme les fermiers *rhodies* des montagnes orientales au visage écarlate. Ensuite, il la transférait au creux de sa langue comme une huître et l'envoyait voler à travers le O formé par ses lèvres selon un arc gracieux qui atteignait toujours sa cible. Il pouvait piéger une fourmi dans un glaviot à cinq mètres, ce qui me semblait un exploit. Il sifflait aussi à merveille – un don malheureusement de plus en plus rare – des airs étranges et fantastiques qui défiaient les harmonies traditionnelles et me remuaient au plus profond.

Il perdait sans cesse ses affaires – un canif, une broche, un stylo plume – et je le surprenais souvent en train de retourner ses poches ou de tâtonner à quatre pattes sous son bureau. Chaque après-midi, Mrs Moses passait la tête dans l'encadrement de la porte, scrutant le visage de Mr Gordon, et j'en vins à me demander si ma présence l'empêchait d'exécuter je ne sais quelle tâche habituelle en mon absence. Avant de se retirer, elle me lançait un regard furieux censé tout expliquer.

*

E, comme Église. Une famille de petits personnages se tient la main devant l'entrée de l'église, sous le clocher.

L'illustrateur du *Fructman* avait choisi de ne pas dessiner leur visage.

Sundayboy tenait son surnom du fait qu'avant sa disparition il acceptait toutes sortes de petits boulots des voisins le jour du sabbat, quand le magasin de mon père était fermé. Sans doute Mrs Moses cherchait-elle encore son mari dans son jardin au retour de la messe : un Sundayboy toujours penché sur une commode ou un placard, produisant une forêt de copeaux avec son rabot.

La fenêtre du bureau de Mr Gordon donnait sur la maison de Mrs Moses – une structure en pin brut d'un seul tenant, sans le moindre clou, chaque planche étant fixée à l'autre par un système de rainures et de languettes. Les eaux de pluie ruisselaient du toit goudronné jusqu'à l'allée en terre battue où Mr Gordon garait sa voiture.

Les frères de Saint-Augustin avaient choisi de baptiser notre voisin Moses parce qu'il était arrivé au monastère en flottant silencieusement sur la rivière, son corps en sang guidé le long du courant par sa femme. Bien que Sundayboy Moses eût construit sa maison, il n'y vécut jamais. Incapable de dormir à l'abri des étoiles, il s'installait avec une couverture dans le jardin, au milieu des planches et des tréteaux de sciage. Pour lui, le crissement des pneus sur l'asphalte évoquait le roulement du torrent ; la douce pluie inondant son visage, la brume de la rivière ; le grondement d'un camion diesel, le rugissement d'un hippopotame. Pendant les orages, il montait sur le toit de la maison et tendait les mains en direction du ciel. C'est Now Now qui me raconta avoir vu Sundayboy debout, bras levés vers Dieu, son ombre dessinée sur l'herbe à la lumière des éclairs. Quand il fut témoin de cette scène, Now Now se trouvait sur le quai de déchargement, où il dormait parce que Mr Gordon lui avait tronqué son salaire et qu'il n'avait pas de quoi payer le camion pour rentrer à la réserve auprès de sa femme et de ses enfants.

Sundayboy, lui, refusait de faire venir un enfant sur une terre aussi éloignée de la rivière Innommable et du Pourvoyeur de toute chose. Il persistait à dormir sans sa femme – elle, dans la maison, lui, dans le jardin – jusqu'à cette nuit sans nuages où Mrs Moses alla rejoindre son mari endormi, remonta sa chemise de nuit et s'assit sur lui, concevant ainsi un enfant sous les étoiles avant que Sundayboy ne soit tout à fait réveillé. Cela aussi, Now Now en avait été témoin depuis le quai de déchargement, vu que Mr Gordon le renvoyait rarement chez lui avec une pleine paye dans les poches.

Quand Ephat, le fils de Mrs Moses, eut les oreillons, on m'envoya dormir à son côté. Dans son jardin, Mrs Moses faisait pousser des arméries, des sedums, des barans, des berbéris ; cet assortiment de plantes chétives et piquantes irritait les chevilles des visiteurs osant dévier du petit tronçon bétonné qui menait à la porte. Pareil à un reliquaire, l'intérieur de la maison débordait de saints en plâtre et de croix tordues en feuilles de palme récoltées au fil des dimanches des Rameaux et clouées au mur chaque année. La maison sentait l'ammoniaque, la cire à bois et la colère.

Cette nuit-là, Ephat resta allongé sans bouger, suant à grosses gouttes, éclairé par la lueur du lampadaire extérieur. Ses testicules avaient doublé de volume. À minuit, quand il repoussa ses draps à coups de pied, sa mère apparut en silence. Elle passa un gant humide sur le corps fiévreux de son fils et entonna une sorte de chanson médicinale, un babillage dont elle avait sûrement oublié le sens. Son long visage aux angles aigus était comme un cercueil à la lumière du lampadaire.

Mrs Moses vit mes yeux ouverts dans la pénombre et esquissa un sourire.

— Mieux vaut l'attraper maintenant, avant de devenir un homme, si tu veux des enfants. Tu vas transmettre cette maladie à tes frères et sœurs, non ?

Elle ignorait que j'étais fils unique. Mr Gordon ne parlait jamais de sa famille ni de lui-même.

— Je n'en ai pas, répondis-je.

Mrs Moses digéra l'information.

— Sans vouloir insister, ta mère est malade ? Une femme qui n'a qu'un seul enfant est presque stérile. Peut-être devrait-elle se frotter entre les jambes avec des haricots de Momara.

Les femmes de la rivière Innommable désiraient des enfants plus que tout afin de remplacer ceux qui avaient succombé à la maladie, à la malnutrition, à la noyade, à la foudre ou aux hippopotames. Mrs Moses se pencha au-dessus de moi pour embrasser Ephat et, bien qu'il ait mon âge, elle lui chanta une berceuse. *Dors, mon petit, la nuit est vent et pluie, les gouttes tombent dans nos plats, et la rivière déborde de nouveau.* Sous sa chemise, pendu à son cou, j'aperçus un bouton de manchette que Mr Gordon avait cherché partout dans son bureau.

Mr Gordon était le genre d'employeur qui poussait au vol. Lampes à abat-jour perlé, serre-livres, coussins disparaissaient du showroom ; stylos plume et cahiers du bureau. Plutôt que de perdre la face, il truquait ses livres de comptes pour compenser les pertes. Moi aussi, je lui dérobais des choses : un blaireau de rasage, sa broche militaire, des médicaments, des coupe-ongles et autres objets étrangement intimes.

Mrs Moses m'observa, se demandant peut-être si elle devait m'embrasser moi aussi. Elle choisit de me tapoter la joue d'une main qui sentait la cire et l'huile de friture, le même mélange douceâtre qui recouvrait toutes les surfaces de sa maison.

Dehors, les planches pourries adossées à la maison grinçaient, abandonnées là depuis le jour où Sundayboy avait retiré tous ses habits, excepté les sous-vêtements, que sa femme faisait bouillir dans la javel, et était parti en boitant vers le nord, vers la rivière de ses ancêtres, laissant Mrs Moses quasiment stérile avec son fils unique. Il laissa aussi ses outils de charpentier à sa famille ; les scies circulaires, les herminettes et les perceuses enfouies sous les graviers boueux que Mr Gordon avait fait déverser afin de pouvoir garer sa voiture et le camion de livraison dans la zone de sécurité délimitée par la clôture du jardin de Mrs Moses. Un écriteau était placardé sur la clôture : « *Basopa lo Inja* », mais le chien avait disparu avec son maître et il n'y avait plus de raison d'y faire attention. La maison semblait retenir sa respiration en attendant le retour de Sundayboy.

Cette première nuit, j'eus le hoquet pendant des heures. Ephat, qui transpirait à côté de moi, affirma que mes ancêtres m'appelaient.

*

L, comme Lumière. Une ampoule nue entourée d'un halo de lumière douce. Cette page du *Fructman* est presque chaude au toucher.

Combien de gens se souviennent clairement du moment où ils ont appris à lire ? Je fixais du regard l'illustration du mot « Bateau » accolée à l'image d'un ballon de rugby. Une vague de compréhension me submergea.

— Ballon, dis-je fièrement.

— Oui, c'est ça, s'exclama Mr Gordon. Bien joué !

Il me donna une bourrade dans l'épaule et tout le monde put voir que mon père était fier de moi. Je saisis cet instant et le rangeai tout au fond de mon cœur. Le mot « Bateau » fut le premier mot d'une longue liste que je lirais dans ma vie. Mis bout à bout, ils formeraient une chaîne qui aurait pu faire plusieurs fois le tour du monde.

Ravi, mon père décida de m'emmener à l'épicerie m'acheter une glace. Sans doute me l'aurait-il offerte sans même l'inscrire dans la colonne *Créance client* si notre expédition n'avait été brutalement interrompue. À peine sorti, il se figea, bouche bée. En suivant son regard, le mien tomba sur une boîte de cirage abandonnée au milieu du trottoir. Quand il retrouva enfin sa voix, ce fut pour articuler :

— Bombe !

Il me poussa dans le magasin, puis dans les allées étroites du showroom jusqu'à la porte de service, redoutant à chaque seconde un déluge de verre et de feu. Mr Tabori jura en trébuchant sur une table basse et fit tomber un vase en céramique. Dans sa précipitation à quitter les lieux, un client me donna un coup d'épaule, et la poche de mon pantalon se déchira à une poignée de porte. Une horloge du magasin sonna l'heure. Alors que nous courions déjà sur le quai de déchargement, Now Now, Pamwe et un livreur se joignirent à nous ; et c'est après avoir dépassé plusieurs pâtés de maisons que l'un d'eux eut l'idée d'appeler les démineurs. Fausse alerte. La boîte remplie de chiffons ressemblait fort à une vengeance des cireurs de chaussures contre Mr Gordon.

Quand Ephat guérit des oreillons, Mr Gordon me conduisit chez un médecin dans la banlieue d'Umtali. La salle d'attente et le parking débordaient de patients, tous africains, mais le docteur N'gono, choisi par mon père pour les mêmes raisons que les barbiers shonas, me fit entrer immédiatement. Il me tâta la nuque et le scrotum à la recherche de ganglions puis soupira. « C'est dommage, tu ne les as pas attrapés. » Il examina mes oreilles. « Ton père les a eus peu de temps après ta naissance. Ça a été terrible. Il a failli y rester. » En m'habillant, je me demandai si mon père aurait pris le risque d'avoir d'autres enfants sans les oreillons et de sauver ainsi sa femme de sa quasi-stérilité.

Je repris mes trajets quotidiens le long de l'autoroute de montagne ombragée avec Mr Gordon, revenant dormir chaque soir au bungalow avec les rats, et bien que j'aie pris l'habitude de voir Ephat tous les jours après mes séances de lecture, il ne m'invita plus jamais dans sa petite maison. « Ce sont les ancêtres, m'expliqua-t-il. Ils ne se sentent pas bien ici. » Mrs Moses refusait de parler de ses aïeux chasseurs d'hippopotames, plus encore de leur déposer des offrandes, et Ephat n'en connaissait que de vagues histoires autrefois racontées par son père, selon qui les ancêtres tiraient leur nom de la rivière à laquelle ils s'abreuvaient, un affluent distal du Zambèze. Mais comme Sundayboy n'avait pas le droit de révéler l'endroit secret où résidait Dieu, les ancêtres d'Ephat restèrent innommés.

Nous ne savions ni l'un ni l'autre nous comporter en présence d'un autre enfant, nous contentant d'escalader les piles de planches en silence, d'observer le ciel gris, ou de ramasser les outils enfouis sous terre, puis dégagés par la pluie. Nos activités prirent une forme plus aboutie quand Ephat suggéra de jouer aux chasseurs et de fabriquer des lances à l'aide de goujons aiguisés que nous brandissions en piétinant les grandes flaques du jardin à la recherche d'hippopotames. Mais ces armes fragiles rebondissaient et se fracassaient sur nos proies en forme de tréteaux. Nous écartant alors de la tradition, nous imaginâmes des lance-pierres fabriqués avec des branches. Je prélevai les garrots sur le kit de secours que Mr Gordon rangeait dans le coffre de sa voiture ; gravillons, billes ou bonbons servirent de projectiles. Ephat me battit à plate couture en démontant les tiroirs de l'énorme meuble de rangement et en y récupérant les billes ; elles avaient la structure, la forme et le poids parfaits. Nous propulsions ces missiles avec assez de puissance pour renverser les tréteaux.

Un jour que mon père était descendu au magasin pour aider Mr Tabori à servir les nombreux clients, je vis Ephat pénétrer dans le bureau, de la viande à la main. Curieux, je le suivis mais ne trouvai personne à l'intérieur. Je passai sous le bureau de ministre, me relevai pour aller regarder par la fenêtre, Ephat n'était nulle part. À croire qu'il avait franchi une autre dimension.

Sur le quai de déchargement, Now Now déballait son déjeuner, se régalant à l'avance d'un sandwich au jarret de chèvre. L'animal avait bondi sur la route du camion qui ramenait les travailleurs à la réserve, et le jarret était un cadeau du chauffeur pour remercier Now Now qui l'avait aidé à hisser la carcasse de la bête sur le hayon. En ne voyant que deux tranches de pain gras dans son papier, l'homme secoua la tête. « Je jure sur ma barbe que ma femme va le payer. » Il enfourna l'une des tranches de pain dans sa bouche et, tout en mâchant, se tourna vers moi : « Jeune *baas*, un conseil : ne rentre pas trop tard chez toi si tu veux de la viande pour ton déjeuner. »

Je maîtrisai rapidement le *Fructman*. Mon père m'emmena à la librairie et m'aida à choisir des ouvrages : *La Petite Poule rousse*, *Le Conte de Pierre Lapin* et *Bonne nuit la lune*. Chaque matin, après le rush de l'ouverture, il prit l'habitude de confier le magasin à Mr Tabori. Nous nous asseyions au bureau de ministre, il posait une main sur un côté du livre, moi, une main sur l'autre, et je lui lisais des histoires, tordant ma bouche autour de chaque lettre jusqu'à ce qu'un mot en sorte. C'était affreusement long et lent, et mon père ne consentait à me révéler les mots compliqués que si je les avais étudiés un bon moment. La séance s'éternisait, moi luttant, lui m'encourageant et me réprimandant tour à tour, jusqu'à midi, heure à laquelle nous descendions sur le quai de déchargement avec une tasse de café. Imitant mon père, je ne tenais jamais la tasse par l'anse, mais à pleine main et près de mon nez, m'imprégnant de la chaleur à travers la porcelaine, aspirant la vapeur à pleins poumons. En buvant, nous observions Mrs Moses qui labourait son jardin sans se soucier de la fraîcheur ni de l'humidité ambiantes.

Now Now estimait que les gens de la rivière étaient froids par nature, à cause de la brume. Une nuit où il faisait particulièrement humide et où il n'avait pas assez d'argent pour prendre le camion, il avait frappé à la porte de Mrs Moses, mais elle ne lui avait pas répondu. « C'est toujours comme ça, me dit-il en souriant. Quand tu seras plus grand, tu en pleureras. »

Après le déjeuner, mon père étalait devant moi les profits et pertes de la journée. Chaque fois qu'il payait un fournisseur, il soustrayait la somme de la colonne *Actifs* du bilan comptable et l'ajoutait dans les *Dépenses*. Puis il me donnait la facture afin que je l'intègre dans le livre de comptes que je tenais en double dans le cadre de mon apprentissage des mathématiques et de la finance. Tandis que je m'appliquais, il me jetait parfois un coup d'œil comme à sa réplique en miniature. Depuis cette comptabilité en double, le grand meuble de rangement se remplissait deux fois plus vite. Quand mon père les ouvrait, les tiroirs grinçaient et protestaient, privés des roulement à billes qu'Ephat et moi avions pillés pour nos lance-pierres, et une étrange odeur de viande s'en dégageait.

Le dimanche, je lisais du Beatrix Potter à Mrs Gordon, haussant la voix pour couvrir le vacarme de l'air conditionné : *Il était une fois une souris à bois, et elle s'appelait Mme Trotte-Menu.* Mrs Gordon se penchait en avant dans son fauteuil Queen Ann et tendait l'oreille. *Elle vivait entre les racines d'une haie.* Dans le grenier, Mr Gordon faisait les cent pas, posait des pièges, et la sciure nous tombait dessus depuis le plafond rongé par les rats. *Quelle drôle de maison!*

*

H, comme Histoire. Sur cette page, l'illustrateur du *Fructman* s'était surpassé.

Le peuple de la rivière Innommable vivait au grand air sans autre protection contre le vent, le ciel, la foudre assassine, les tempêtes et les inondations que celle du Pourvoyeur de toute chose. Quand Mrs Moses avait amené son mari blessé au prieuré, elle avait dû s'interroger sur les murs et les toits qui séparaient les moines de leur Dieu. Peut-être pensa-t-elle à tous les enfants en bonne santé qu'elle pourrait élever dans un tel endroit. Peut-être qu'elle persuada les frères d'enseigner l'art de travailler le bois à Sundayboy quand il serait remis de ses blessures.

Mais Ephat, convaincu que ses ancêtres négligés lui avaient filé les oreillons, décida de dormir à son tour dans le jardin. Une fois libéré de mes lectures, je le rejoignais sous la pluie, dans le jardin où il vivait désormais, et les histoires racontées il y a bien longtemps par Sundayboy remontaient à la surface de sa mémoire comme les outils rouillés remontaient dans la boue. Il me raconta comment les chasseurs d'hippopotames s'immergeaient dans les flots de la rivière Innommable au plus fort des pluies, armés seulement de leurs poings et de leur voix, afin de pousser un hippopotame mâle en colère hors de l'eau. Dans le bush, ils l'obligeaient à s'agenouiller devant un dieu que l'animal tourmenté ne pouvait ni voir ni comprendre. Alors que les femmes se prosternaient et pleuraient leurs enfants perdus, les hommes s'inclinaient devant la divinité, haletants et sanguinolents, l'implorant d'apaiser les pluies et la rivière déchaînée. Baignés dans Sa lumière, les chasseurs et l'hippopotame captifs se perdaient dans Sa contemplation.

Un jour, tandis que les hommes frappaient l'eau pour faire sortir l'une des créatures, un mâle se dressa devant Sundayboy, qui enroula ses bras autour de l'énorme tête, chacune de ses mains agrippant une oreille. À cet instant, les crocs puissants de l'hippopotame entrèrent dans sa chair.

Mrs Moses avait guidé le canoë, où gisait le corps mutilé de son mari, le long de la rivière Innommable, puis du Zambèze jusqu'au monastère de Saint-Augustin. Les moines parvinrent à sauver la jambe et les organes reproducteurs de Sundayboy, préservant les espoirs de descendance de Mrs Moses.

Ephat envisageait aussi de partir vers le nord, afin de retrouver son père qui vivait avec Dieu sur les rives de la lointaine et indicible rivière, mais je crois qu'il craignait ce qu'il pourrait y trouver.

Une après-midi, mon père me chassa du bureau et je descendis au quai de déchargement. Now Now et Pamwe s'étaient installés dans un canapé tout juste sorti du camion. Je surpris la fin de leur conversation.

— Pas que je lui en veuille, mon frère, dit Now Now. Moi aussi, je me la ferais bien.

Pamwe hocha la tête en jetant un œil vers le bureau de mon père.

— *Heyya*, c'est quoi ces manières ? ajouta Now Now, qui m'avait aperçu.

— Tu te ferais bien quoi ?

Pamwe ricana.

— T'occupe, jeune *baas*.

Now Now se leva du canapé et s'adressa à Pamwe.

— Allez, rentrons-le avant qu'il se mette à pleuvoir.

Puis, à moi :

— Va trouver Ephat et allez jouer ailleurs.

De nouveau à Pamwe :

— Tiens, frère, attrape un côté.

Et ils franchirent les portes battantes, emportant le canapé dans le showroom.

Posté devant la porte de la petite maison, j'appelai Ephat, en vain. Depuis le bureau de Mr Gordon me parvenait la voix entre rire et larmes de Mrs Moses. En quoi pouvait consister « bien faire » avec Mrs Moses ? Je grimpai à la poutre de soutènement du toit, rampai au-dessus du quai de déchargement et jetai un œil par la fenêtre du bureau.

C'était une chose bizarre que de contempler Mrs Moses assise sur mon père et entièrement nue sous la taille. Je me figeai. Mr Gordon tourna la tête vers moi sans me voir. De ses doigts, il agrippait la peau sombre des cuisses de Mrs Moses comme s'il voulait s'y enfoncer, et celle-ci enroula ses jambes autour de la taille de mon père, qu'elle attira vers elle.

À mesure qu'il progressait, mon père semblait recouvrer la vue. Un râle se coinça dans sa gorge quand il croisa mon regard, de l'autre côté de la vitre. Il repoussa Mrs Moses, ramassa ses vêtements et se précipita aux toilettes sans plus jeter un œil à la fenêtre, laissant cet incident s'ajouter à la longue liste des sujets que nous n'aborderions jamais.

Mrs Moses s'assit sur la chaise où elle avait chevauché mon père quelques secondes plus tôt et se frotta l'entrejambe avec de l'huile de haricots de Momara. Elle resserra les jambes, les croisa au niveau des genoux et des chevilles dans l'espoir de retenir le sperme de mon père, et demeura dans cette position un bon moment, tête penchée comme en prière, avant de se rhabiller et de quitter le bureau.

Je ne saurais dire pourquoi je restai à fixer le bureau vide, sinon à cause de l'étrange sentiment que la scène n'était pas terminée. Le vent venu des montagnes apportait un orage. C'est alors que le tiroir inférieur du meuble de rangement s'ouvrit comme par enchantement et qu'Ephat en sortit. C'était donc là qu'il avait disparu le jour où il avait volé la viande de chèvre du sandwich de Now Now ! Ephat déposait des offrandes pour ses géniteurs dans le tiroir inférieur du colossal meuble de rangement, protégé par le savoir-faire artisanal de son père. Nous nous observâmes un instant à travers la vitre où, superposés au visage d'Ephat, se reflétaient les nuages noirs de la tempête qui se déplaçaient dans le ciel derrière moi. Le garçon me lança un regard de haine, à moi, le témoin de son humiliation.

*

A, comme Ancêtres. Arrachez cette page de votre exemplaire du *Dictionnaire illustré Fructman pour les petits* et brûlez-la.

Le lendemain, Ephat quitta la maison pour rejoindre l'une des équipes de maintenance qui comblaient les nids-de-poule et débarrassaient les routes des débris de toute sorte. Cette nuit-là, il dormit sur un accotement de l'autoroute qui serpentait à travers la montagne comme une rivière.

Alors que j'attendais dans le bureau que mon père ferme le magasin, j'aperçus Mrs Moses sur le seuil de sa maison, désormais privée d'enfants. Le jardin commençait à être inondé et elle pouvait voir les outils abandonnés de son mari remonter à la surface, et s'enfoncer de nouveau sous la terre promise où elle avait amené sa famille dans l'espoir qu'elle croisse et se multiplie.

Ce fut la dernière fois que Mr Gordon m'emmena au magasin. Il me trouva une place aux Courants d'eau vive, à Umtali, une école pour garçons et maison de prière. Le proviseur, un homme charismatique qui se faisait appeler Frère Paul, était ce même Africain qui avait débarqué sur notre véranda dans le costume de mon père, et les professeurs étaient tous des Ndébélés du Sud : des hommes musclés, au regard perçant Ils ne menaient aucune enquête de routine sur les familles et, comme avec nos barbiers et médecin, Mr Gordon les jugea moins menaçants que les Européens. Les élèves étaient tous shonas, hormis les trois fils d'un soldat britannique alcoolique à la retraite et d'une domestique indienne. Les frères des Courants d'eau vive nous battaient si on parlait shona, quand j'écrivais de la main gauche, bougeais les lèvres en lisant les Écritures pour moi-même, ratais mes additions, cachais mes mains pendant les prières en groupe ou restais de marbre quand ils ânonnaient. J'accueillais volontiers ces brimades qui signaient mon immersion dans les Courants d'eau vive. Il fallait bien que quelqu'un me punisse pour mon ascendance occulte.

Compte tenu de ma scolarisation, la séance du barbier passa au dimanche. Peu avant l'aube, Mr Gordon se levait du petit lit en métal installé dans son bureau de la maison pour préparer du porridge. Il cognait la cuillère contre la casserole pour faire fuir les rats avant que nous nous asseyions à table.

Les pluies s'attardèrent sur les hauts plateaux. De gros nuages voilaient les montagnes, révélant à peine quelques mètres de route, aussitôt disparus dans le rétroviseur. Parfois, nous entendions au loin le *wari wari wari* d'une équipe d'entretien, et j'avais beau faire des efforts pour identifier les silhouettes dans la brume, je ne revis jamais Ephat.

Mon père et moi n'avions pas de sujet de conversation susceptible de nous distraire de la radio lors de nos trajets. Nous écoutions donc, à l'aller comme au retour, les informations évoquant toujours plus d'agitation chez les rebelles et plus d'automobilistes agressés sur les tronçons isolés des autoroutes. Nous redoutions tellement d'être attaqués que le premier coup de feu apporta avec lui ce soulagement qu'on éprouve avec la confirmation de ses certitudes. Ce n'était pas une balle, mais plutôt une bille en acier inoxydable parfaite, qui fit un trou dans le pare-brise, heurta ma poitrine et tomba au sol où elle roula entre mes pieds.

Je me penchai en avant, le souffle coupé. Ma tête heurta le tableau de bord, près de la radio. Le journaliste énonçait à cet instant précis les procédures à suivre si nous étions victimes d'une attaque sur la route – et j'avais l'impression qu'il ne s'adressait qu'à moi. S'allonger sur le siège et, si un barrage rendait la circulation impossible ou si le véhicule était endommagé, s'en éloigner le plus possible, trouver un abri et attendre l'arrivée d'une des patrouilles de l'armée. Je frottai l'endroit que la bille avait frappé, près de mon cœur.

Mon père et moi nous étions dit tellement peu de choses pendant notre vie qu'il nous parut naturel de ne pas prononcer un mot à ce moment-là. Il recula sur son siège, tout en sifflotant l'un de ses airs étranges, comme s'il n'y avait plus aucune raison de se méfier d'une agression maintenant qu'elle avait eu lieu. Nous poursuivîmes jusqu'à la maison, au rythme des essuie-glaces, de la bille qui roulait sur le tapis de sol et de la radio qui murmurait, comme par respect pour les morts. Quand mon père s'engagea dans l'allée et éteignit le moteur, tout était oublié.

*

I! comme Innommable. Et il n'y a pas d'illustration pour ce mot dans le *Fructman*, seulement cette ponctuation isolée et énigmatique.

L'injonction comique d'une sonnette de bicyclette m'obligea à me rendre auprès de Mrs Gordon, avachie dans son fauteuil à la manière d'une invalide, le visage orienté vers l'air conditionné. La bourrasque, digne des hauts plateaux écossais, lui asséchait les yeux, rabattait le foulard contre son crâne et secouait le tartan violet et vert de son clan posé sur ses jambes atrophiées. C'était dimanche et je sentais plus que je n'entendais mon père, au-dessus de nos têtes, en train de poser ses pièges. On ne voyait jamais les cadavres de ses victimes dans la maison. Une vague odeur filtrait cependant par les fissures, en même temps que la sciure.

Je pris la main de Mrs Gordon, la massai – sa circulation sanguine était si mauvaise que ses ongles avaient bleui –, frottai les bouts de ses doigts, les jointures, la paume, tout en récitant un poème lu le jour même, *Alas! Alas! Pour Mrs Mackay*, imprégnai sa peau craquelée d'huile de genièvre, *Ses couteaux et ses fourchettes se sont enfuis*, et ma mère me serra la main. Je tapotai avec un chiffon la substance laiteuse qui s'était accumulée aux coins de sa bouche et sous son menton, *et quand les tasses et les cuillères s'en vont*, ses traits s'adoucirent, formant presque un sourire, *elle est sûre qu'il n'y a plus moyen de savoir*. Était-ce dû à cette intimité ou au fait que je ne pouvais retenir mon secret plus longtemps, mais il sortit de ma bouche avant même que j'en aie conscience :

— Père et moi, nous sommes noirs.

Les mains de Mrs Gordon bougèrent plus vite que mes yeux. Les coups s'abattirent sur mes deux joues – la seule et unique fois où elle me frappa –, et le temps que je me rende compte qu'elle m'avait giflé, elle m'avait déjà agrippé et serré contre elle. Je restai immobile dans les bras de ce fantôme soudain ressuscité. Pourtant, elle avait bien dû sentir les boucles sèches de mon père quand elle lui caressait la nuque au début de leur romance, ainsi que son odeur corporelle. Depuis le début, elle était complice.

— Ne dis pas n'importe quoi, me murmura-t-elle à l'oreille.

Le parfum boisé du genièvre m'emplit les narines et me fit monter les larmes aux yeux, alors que ma mère me caressait le visage.

Cette nuit-là, je fis un rêve : *Une vieille femme africaine affublée de perles et d'un turban élaboré se tient au pied de mon lit. Elle fume une pipe à long manche. Elle m'appelle. Je grimpe à sa suite l'échelle menant au grenier où, dans l'obscurité, des mains m'agrippent les cheveux et me touchent la peau. Elles se pressent contre moi si bien que je ne sais plus où elles se terminent ni où je commence, et nous nous emboîtons parfaitement, comme les meubles de Sundayboy – un assemblage solide sans clous ni colle. Tandis qu'elles me réclament à manger à l'oreille, je perçois dans leur souffle une odeur de viande et de bière mêlées.*

Je me réveillai en sursaut et montai au grenier. La pestilence manqua de me renverser. À côté de la trappe, mon père avait laissé une lampe torche que j'allumai afin d'éclairer le réduit : des valises en vinyle, un miroir éraflé, la malle abandonnée de ma mère. Pas de piège. Mais le faisceau de la lampe tomba sur l'assiette de viande que mon père avait montée plus tôt et laissée sur une chaise en bois, à présent grouillante de rats. Évidemment, c'étaient ses offrandes, et non les pluies, qui attiraient les bêtes en si grand nombre.

Le grenier sentait la bière renversée, le poil humide et la viande avariée. Un livre de comptes ouvert était calé au dos de la chaise de sorte que nos ancêtres puissent s'informer de la valeur du magasin à l'instant T. La lumière de la torche effraya les rats qui, dans la confusion, se mirent à pousser des cris et à se mordre. Je fixai l'autel de fortune, incarnation de la dévotion secrète de mon père pour ses ancêtres. Mes jambes se dérobèrent sous moi et je me sentis m'affaisser et mugir, tel l'hippopotame maltraité devant le dieu de la rivière Innommable. La pluie martelait le toit selon un rythme étrange et le vent soufflait dans les corniches du toit, en produisant des notes identiques à celles que mon père sifflait en cachette.

Les Os, l'Envol, l'Errante-démunie et le Secret-bien-gardé

La récolte, 1856

Silence ! Pose ma viande et ma bière sur la table. Une histoire ? Un instant, que je me souvienne. C'était à l'époque du *Nongquase*, à l'époque de notre suicide national. La fumée des champs incendiés avalait le soleil et les cadavres des troupeaux massacrés recouvraient la savane. Ce n'est pas une tragédie. Comprends-moi bien, les tragédies concernent ceux qui souffrent par passion, et seulement ceux-là. Le peuple xhosa a sacrifié son bétail et ses récoltes dans le but d'obtenir la gloire, la richesse et l'immortalité. Même les vieilles femmes devaient retrouver une nouvelle jeunesse, d'après les prophètes.

L'un d'eux, ton ancêtre, s'appelait Ngamathamb. Ce n'était pas son vrai nom, c'est le mot pour dire « os », et c'est tout ce qu'il reste de lui à présent. Sa deuxième femme était enceinte et elle marchait en faisant *boing boing boing*, les mains croisées sous son gros ventre. Elle chantait pour sa future fille : *Le soleil se couche, le ciel s'assombrit, demain, la faim.*

— Tuez et brûlez tous vos biens ! ordonna Ngamathamb.

À la suite de ce sacrifice, le soleil ferait demi-tour et irait se coucher à l'est, une récolte abondante jaillirait du sol, d'immenses troupeaux de bétail surgiraient de l'écume dans l'anse sacrée de Cove Rock, et nos guerriers se dresseraient pour découper les Britanniques en morceaux.

Nous voilà partis faire le tour de nos troupeaux et de nos champs, l'espoir dans une main, la peur dans l'autre. Les vaches beuglaient avant de tomber, l'une après l'autre, les champs et les greniers à grain brûlaient, et ainsi de suite, et à la fin, où que le regard se posât, il n'y avait plus rien à détruire sous le ciel. Ce triste événement eut lieu en 1856, selon le calendrier britannique – après le *Nongquase*, nous cessâmes de mesurer le temps selon le cycle des saisons.

Mais chaque fois que Ngamathamb tentait de brûler ses propres récoltes, le vent de la mer apportait une tempête qui éteignait le feu. L'homme pénétra dans le kraal afin de tuer son bétail ; malgré sa peau entaillée, le taureau resta silencieux, signe que les ancêtres rejetaient l'offrande – une honte. Ngamathamb mena un autre animal au lieu de sacrifice et le poignarda, *ha !*, mais ce taureau aussi refusa de manifester sa souffrance, et ainsi de suite, *ha ! ha ! ha !*, jusqu'à ce qu'il ne reste plus de bêtes à éprouver. Ngamathamb courait maintenant comme un fou parmi ses vaches, celle-ci, puis celle-là, et encore ! Sous la violence des coups, les animaux tombaient à genoux en silence. Même les chèvres furent convoquées. Le prophète glissait dans les flaques de sang, tout en donnant des coups de poignard, mais les bêtes restaient obstinément calmes. *Aïe !* Quel malheur ! Les taureaux, les vaches, les chèvres, les récoltes – les ancêtres avaient tout refusé. Ngamathamb arracha les derniers plants de la terre et pourchassa le bétail, muet et ruisselant de sang, hors du kraal.

La nuit tomba. Ngamathamb se retira dans sa maison et s'allongea sur son lit en attendant le sommeil. Il n'ouvrirait plus jamais la bouche, que ce soit pour manger, boire ou prophétiser. Quand le soleil refusa de se coucher à l'est, contrairement à la prédiction, les femmes se lamentèrent, *youyouyouyouyouyou !*, et nos guerriers s'assirent sur le sol gris de cendres pour mourir. Et donc, comme toutes les histoires, celle-ci commence par la fin.

Le temps passa. La première femme de Ngamathamb reposait, morte, à sa droite. À sa gauche, morte aussi, reposait sa deuxième femme, un enfant dans les bras – moi. Je ne respirais pas et pourtant je m'accrochais à ma mère avec mes jambes, ma bouche autour de son sein tari, notre sang immobile. C'est ainsi que nous trouva la troisième femme de Ngamathamb quand elle revint de l'enterrement de ses père et mère. *You ! You ! Oh !* Comment un enfant serait-il repu un jour s'il avait tété un sein sans vie ?

À présent, je dois te dire que la troisième femme de mon père, la plus jeune, la silencieuse, était nerveuse et se méfiait des mains d'homme. Ngamathamb n'avait eu à payer que sept vaches et vingt chèvres pour sa dot et, parce que de telles affaires laissent parfois l'acheteur insatisfait, il lui rappelait souvent qu'elle valait peu. Il lui interdisait de prononcer son nom, Ngamathamb, ou même des mots en contenant une syllabe, et ce tant qu'elle ne lui aurait pas donné un enfant. Quand elle n'avait plus rien à dire pour sa défense, il la battait sous prétexte qu'elle boudait.

La jeune femme noua avec précaution une lanière en cuir autour de nos chevilles (ne jamais toucher ceux qui sont passés dans l'au-delà) pour tirer son mari et les deux épouses vers le bush afin que les vautours s'en régalent, laissant tout juste de quoi nourrir les vers – c'était la coutume dans les temps anciens, avant que nous n'apprenions à enterrer nos morts. Elle s'occupa de moi en dernier – je n'étais qu'un nourrisson et, de surcroît, une fille. Mais Dieu, Compositeur de l'univers, renvoie parfois les morts à la vie, tout comme un poète ressuscite un mot dont le sens nous échappe. Avant de me ramener parmi les vivants, Dieu me murmura mon prénom à l'oreille – que je ne te révélerai pas. Si tu as besoin de transmettre quelque chose à tes descendants, appelle-moi *Ukusaba*, qui signifie « l'envol ». Alors que la troisième femme de mon père me traînait dans le bush au bout d'un lacet en cuir, j'ouvris les yeux et la fixai.

La femme mit alors le feu à sa maison. Tu sais qu'il ne restait plus d'animaux à offrir à son mari, pour qui tant de choses avaient déjà été sacrifiées. *Aïe !* Les esprits qui se sentent négligés sont très agités, et si Ngamathamb ne trouvait pas le repos, il continuerait de mener la vie dure à sa troisième épouse.

Alors écoute ce dont est capable une femme. Elle m'enveloppa dans une couverture en laine, me cala ainsi sur son ventre et partit à pied. Appelons-la *Kubhaca*, qui signifie l'« errante démunie ». Tout en marchant, elle chantait : *Dieu est en colère, nos ancêtres sont partis, leur poussière éparpillée, leurs âmes condamnées à errer dans le bush.* Ainsi, nous quittâmes ce pays familier où les os de Ngamathamb se dilataient au soleil, sa cage thoracique bombée vers le ciel, pour y accueillir l'abondance illimitée qu'il avait prophétisée. Nous dépassâmes des crêtes blanchies par les squelettes des Xhosas, alignés comme du blé coupé. Nous voyagions à la lumière du soleil et dormions près de la route pour éviter les bêtes sauvages et les demi-bêtes terrées dans les recoins obscurs du bush.

Mais ce n'est pas terminé. Continuons.

Kubhaca avait seize ans quand elle tourna le dos à la famine et parvint au Cap, où elle trouva un emploi de barmaid dans une maison sur Anne Street, pas loin des quais – un travail pour lequel elle était peu disposée, compte tenu de sa peur des mains d'homme. Des Européens fréquentaient la maison : dockers, soldats et marins.

La maison donnait sur la mer. Les rares jours sans vent, l'air sentait la lavande qui poussait dans le sable alentour, et l'odeur des oiseaux, chaude et saturée comme celle du pop-corn, enveloppante comme celle d'une poule pondeuse. Tous ces oiseaux ! Certains enfermés dans des cages suspendues à la véranda. Des perroquets qui agonissaient d'injures, et dans toutes les langues, les manchots du Cap qui, de leur côté, semblaient les railler depuis la plage. *Hijos de puta*[1] ! criaillaient les perroquets. *Scheisskopfes*[2] ! Des canaris dociles venaient se poser sur mes doigts lors de ces après-midi alanguies, à regarder les barmaids se tresser les cheveux. Fouillant les nids sous les corniches, j'enveloppais les poussins tièdes de mes mains tandis que leurs mères m'invectivaient : *Scriii ! Scrii ! Scrii !* Des pélicans tournaient au-dessus de la maison, cherchant en vain de quoi se nourrir. C'était ainsi.

Il y avait une machine à chanter dans cette maison. Je passais toutes mes heures libres à écouter les magnifiques voix qui s'en échappaient, et la mienne tremblait lorsque je me joignais à l'une d'elles.

Une pause dans l'histoire. Pour profiter des jours d'insouciance de mon enfance.

1. Fils de pute. *(N.d.T.)*
2. Têtes de merde. *(N.d.T.)*

La maison d'Anne Street comprenait douze portes et, durant la nuit, les barmaids les franchissaient toutes. Le rose des murs avait perdu de son éclat, rappelant désormais la peau des Européens. Nous faisions pendre de la lavande à l'envers afin qu'elle sèche et nous répandions son essence sur les draps en coton – un aphrodisiaque autant qu'une arme contre les punaises. Le parfum imprégnait nos cheveux et nos habits, dissuadant notre peuple, qui ne supportait pas cette odeur, d'approcher. Quand elle eut éclusé tous les métiers possibles dans cette maison, Kubhaca en vint à frotter les sols, morne rebut que les hommes se contentaient d'enjamber. Mais elle se délectait de ces eaux sales où perçait l'odeur de lavande, parce qu'elle en avait enfin fini avec toutes ces mains d'hommes.

L'histoire ne cesse de venir. Arrête de gigoter et écoute !

Il arrive souvent que les esprits des ancêtres oubliés et affamés prennent la mer, parcourant le monde d'un bout à l'autre, et se rassemblent dans les ports. Après quinze années passées à Anne Street, je sentis l'un d'eux s'immiscer dans mon corps et tenter de parler à travers moi. Mais je résistai, et cet esprit particulier se fâcha au point de réduire mes poumons en bouillie. Je fus prise de quintes de toux, j'inondais mon lit de sang même pendant mon sommeil, j'en avais jusqu'aux yeux, je me noyais dedans ; pour la seconde fois, j'étais appelée par le monde des esprits. Ne me pose jamais de questions sur cet endroit ; te le décrire reviendrait à te faire écouter le bruit de ta propre mort.

Kubhaca apporta mon corps à un sorcier qui le recousit à mon âme immortelle. Tout à fait ! Les coutures commencent ici, au niveau de ma nuque, et descendent entre mes seins jusqu'au nombril – c'est un procédé étrange et barbare.

Imagine. Si tu as un jour la chance de revenir d'entre les morts une seconde fois, ne le fais pas les mains vides. Moi, j'en ai rapporté un pouvoir magique qui permet de brouiller les effets du temps. Les années me tombaient dessus par dix ou par vingt, invisibles, hormis mes dents usées.

Quand je revins à la maison d'Anne Street, tout me parut changé. À force de tousser, le sang avait rempli le blanc de mes yeux et laissé une tache que même un déluge de larmes n'aurait pu faire disparaître – alors à quoi bon se lamenter ? Le monde était devenu rouge, même les canaris qui vinrent se poser sur mon épaule pour fêter mon retour.

Ah, voilà une information de la plus haute importance ! Est-ce que tu as la peau assez dure pour l'entendre ?

Il y a bien longtemps, les gens venaient au monde avec la capacité de lire toutes sortes de choses dans le sang. Mais cette simple vue les rebutait, incapables qu'ils étaient de supporter les images terribles qu'ils y découvraient. Par conséquent, la plupart des gens perdaient ce don.

Regarde bien ! Un garçon xhosa se sert d'un couteau pour prendre la vie d'une barmaid. Cette scène eut lieu dans la maison d'Anne Street, après le départ des visiteurs. Les filles s'enduisaient le dos d'huile de lavande pour apaiser leurs courbatures. Ce garçon était l'ancien chéri de l'une d'elles. Les jours précédents, depuis la plage rocheuse et planté au milieu des manchots du Cap, il n'avait cessé d'aboyer en direction de la maison où il n'avait plus le droit d'entrer.

Aaaou! Aaou! Aaaou! Sans doute versa-t-il plus de sang avec son couteau qu'on n'aurait pu l'imaginer.

Penchée au-dessus de la jeune fille assassinée, je vis apparaître des images, comme celles qu'on projette au cinéma, s'animant dans le sang qui s'écoulait des plaies. Plus tard, je compris que Dieu m'avait choisie pour ressusciter un don oublié. La vie de la barmaid se répandait sur le parquet à mes pieds et, au plus profond, je vis la faim terrible qui l'avait poussée jusqu'à la maison d'Anne Street. Dans ses yeux figés, j'observai l'amant éconduit qui se tenait au-dessus de son corps, haletant, souillé de sang, et je compris pourquoi elle n'avait pas levé les bras pour se défendre de ses assauts. Lorsque la police emporta le corps et recouvrit de sciure ces images douloureuses, j'éprouvai un grand soulagement. Mais pour eux, une barmaid assassinée, c'était du pipi de chat.

Les autres barmaids se mirent à s'entailler les doigts pour me montrer leur sang. Toutes sortes d'images torturées se déversèrent sur la table de la cuisine. J'appris à moduler ma voix, jouant d'abord mon rôle, puis celui des ancêtres qui envahissaient l'âme des filles, pour converser avec elles comme de vieux amis réunis autour d'une marmite. Je te fais cet aveu par souci d'honnêteté, mais ça ne signifie pas que j'aie trompé qui que ce soit. Cet artifice les aidait à croire à mes prédictions.

L'esprit de Kubhaca la quitta quand je commençai à prophétiser dans le sang; elle avait déjà consommé plus que sa part de destin. Peu de temps avant le départ de son esprit, elle avoua qu'elle aurait préféré m'abandonner dans le bush avec mon père et les hyènes. Par la suite, je persistai à voir son corps astiquant les sols, frottant les taches qui ne manquent pas d'apparaître dans ce type de maison, et ainsi sortit-elle de ma vie, mais pas de ma vue.

Les barmaids apportaient de la viande et de la bière à leurs ancêtres pour les contenter dans l'au-delà et, en retour, les esprits leur parlaient à travers moi : *Nisha ! Tu dois quitter cette maison.* Ou : *Tu nous fais honte, Nandi !* Ou : *Zi Zi ! Comment peux-tu être la femme de tous ces hommes ?* Des paroles cinglantes. Peu importe, les filles revenaient me voir, avec leur sang et deux shillings, plus quelques piécettes pour mon tabac. Elles déposaient l'argent sur la table afin de ne pas toucher mes mains. Je me coupais la peau, comme ça, *tsss tsss,* sous mes seins, autour de mon ventre, et je frottais les plaies à l'huile de tabac pour faire gonfler les cicatrices, j'étais belle et impressionnante, je devins grasse à force de consommer la bière et la viande destinées aux ancêtres, et les années s'empilèrent sur moi sans laisser la moindre trace.

Quelquefois, par jeu, un soldat ou un marin me demandait de lire dans son sang ; j'entaillais son cou, contemplais la tache qui se répandait sur son col blanc et énonçais sa destinée : *Tu mourras au combat mais dans un autre pays, de l'autre côté de l'océan.* Ou : *Tu vas sortir de cette maison avec une maladie et tu ne pourras plus jamais retourner auprès de ta femme et de tes enfants.* Quand ces hommes partaient, leurs rires sonnaient creux : *Ha ha ha !*

Le jour de la Saint-Valentin – celui, prétend-on, où les oiseaux se choisissent un partenaire –, surgit un Anglais ; l'aîné d'une famille de propriétaires de mines de diamants dont le ventre, plein à craquer des richesses de notre peuple, touchait par terre. Je ne prendrai même pas la peine de nommer ce type, puisque ces choses n'ont pas de réelle résonance chez les Européens. Au moment où l'Anglais entra dans la maison d'Anne Street et me demanda de lire dans son sang, les canaris prirent leur envol pour ne revenir que le lendemain.

Très bien. Je lui fis une entaille dans le cou et écarquillai les yeux, surprise que le sang révèle mon avenir en plus du sien. Les étoiles ne se déplacent pas au hasard dans le ciel et même les moustiques suivent un chemin prédéfini dans la nuit. Bien qu'ayant déjà dépassé le demi-siècle, j'allais donner deux enfants à cet homme – ainsi l'affirmait son sang. Tu te demandes comment j'ai pu entrer en concubinage avec un type pareil ? J'ai vu des canaris se faire piéger par des mygales.

— Qu'est-ce qui vous contrarie ? lui demandai-je – la question était inutile, les ancêtres connaissent nos problèmes à l'avance.

L'Anglais, muet, observa sa chemise maculée de sang. Puis il se leva et sortit de la maison, laissant l'argent sur la table.

C'est ainsi que j'ai volé sa blancheur à l'Européen. Je vais t'expliquer ça, mais il est primordial que je raconte cette partie de l'histoire bien comme il faut, au cas où quelqu'un désirerait imiter la procédure. D'abord, je prélevai sous les chaussures de l'Anglais de la terre que je plaçai dans une boîte en métal avec de la graisse de vipère et les plumes carbonisées d'un corbeau. Je mélangeai le tout avec un bâton que je fis rouler entre mes paumes en psalmodiant : *Anglais ! Anglais ! Anglais !* Quand tu raconteras cette histoire, au moment où tu appelles mon amant, frotte tes paumes l'une contre l'autre – comme ça ! – et ton auditoire imaginera la boîte, son contenu et le bâton. C'est ainsi que je passai une journée à travailler sur ce philtre jusqu'à le voir se former, enfin, avec la nuit. Je fis franchir à l'Anglais l'une des douze portes pour concevoir le premier de mes deux enfants ; il m'agrippa, avec des bruits dénués de sens parce qu'il ne connaissait pas mon nom, il grogna, il gémit comme un taureau dont la peau a été tailladée en préparation d'un sacrifice. Plus tard, il se leva de notre couche et sortit en titubant sans demander son reste.

À ce stade de l'histoire, allonge-toi et lève les jambes en l'air en croisant les chevilles, comme ça, pour montrer de quelle façon j'ai piégé sa blancheur en moi.

Après cet enchantement, l'Anglais vint me chercher pour que je vive avec lui dans une maison si grande que des nuages s'agrégeaient dans le grenier. Bien qu'il fût né là, l'Anglais ne connaissait pas toutes les pièces. Dieu du sang ! Cette maison contenait des objets de premier choix, le plus extraordinaire étant une boîte magique qui transformait le pain en toast. Bien sûr, tu as envie de m'interrompre et de me parler de l'électricité, mais tu auras du mal à me convaincre qu'il ne faut pas un peu de sorcellerie pour fabriquer une chose aussi merveilleuse qu'un toast.

L'enfant grandit en moi. Il donnait des coups et s'agitait dès que son père parlait. Or l'Anglais aimait parler, et je l'écoutais en silence afin de ne pas interrompre le flot, alors que nous étions allongés par terre, nus, mangeant des toasts au milieu de livres de comptes où étaient inscrits les profits, les pertes et les abus. Il recopiait les sommes sur des tableaux qui recouvraient les murs du bureau où nous couchions ensemble – même si la maison comprenait un grand nombre de chambres. Quand il s'adressait à ceux qui le servaient, il gardait la tête haute – ainsi ! – comme un roi, mais un roi qui aurait manqué de grandeur d'esprit. Sans cesse, il lisait et comptait, le cerveau tout entier occupé à trouver une solution pour que sa famille et lui gagnent plus d'argent encore. Son esprit ne déviait de sa course qu'à la vue de mon corps, pour lequel il éprouvait un désir infini, ou quand il entendait un bruit soudain et inattendu – *boum !* –, soit une marmite tombée dans la cuisine, soit un oiseau entré par une fenêtre ouverte. Alors, il se recroquevillait en lui-même, certain que les Africains allaient débarquer pour lui dérober enfin tout ce qui, pensait-il, le constituait.

Voici un secret qu'on peut partager. Les bébés à naître vivent à la frontière entre les vivants et les morts, et donc mon père, ton arrière-arrière-grand-père, Ngamathamb, parla à mon enfant dans mon utérus et lui demanda de se draper dans la blancheur que j'avais ôtée à l'Anglais. L'enfant naquit xhosa, mais la magie de Ngamathamb était telle que les Européens ne virent que sa pâleur dérobée.

Publiquement, je nommai mon fils Alexander Gordon, accolant le nom chrétien d'un empereur au patronyme anglais de son père. Quand je montrai le bébé à la lune, son sang enfla dans ses veines et il hurla, s'inscrivant dans la lignée de l'Anglais. En privé, Alexander s'appelait Umntu Wehlathi, mais pas vraiment – les noms contiennent un pouvoir, on ne peut pas les donner à la légère. *Umntu Wehlathi* signifie « personne de la forêt » ou « léopard », si tu préfères et, en grandissant, des taches apparurent sur son visage, ses bras, ses jambes et sur tous les endroits touchés par le soleil.

Après sa venue au monde, poussée par la curiosité, je lus le sang qui teintait les draps et qui annonçait la destinée d'Alexander. Décision idiote ! Quelle mère voudrait voir la mort de son enfant ? Le sang dans le sang, telle une galerie des glaces. Mais mes paroles vont plus vite que l'histoire.

Quelques jours plus tard, j'enterrai le cordon ombilical d'Alexander sous un buisson d'épineux, mâchai des racines d'euphorbe que je lui crachai dessus, préparai une soupe avec le placenta pour faire monter mon lait et récitai son poème de naissance. *Wush wush wush.* Écoute bien ! Je ne peux pas le répéter. Les poèmes viennent selon leur bon vouloir et disparaissent sitôt après avoir été récités.

Garde ton secret ! Ne dis rien sur le jour de ta naissance.
Garde ton secret ! Nous avons perdu nos biens les plus précieux des temps d'abondance.
Garde ton secret ! Le bétail n'est plus là.
Garde ton secret ! Nous sommes tombés sous la pierre à aiguiser.
Garde ton secret ! La fin se répand autour de nous.
Garde ton secret ! Nie tout ce que tu sais.
Garde ton secret ! Ne dis rien à ta femme !

Qui sait d'où viennent ces mots ? C'est comme si je les avais rêvés.

La suite est vraie. Il était une fois un garçon fragile qui pleurait tout le temps, un garçon mélancolique. Quand je portais mon fils, les vents violents du Cap se liguaient contre nous, quelle que soit la direction empruntée. Il fallut quatre ans à Alexander pour avoir la force de marcher seul, dehors ; ses amis d'enfance en eurent vite marre de lutter contre le vent qu'il attirait et ils prirent d'autres chemins.

Peu après cette naissance, un type vint annoncer à l'Anglais qu'il était destitué de son droit d'aînesse et que nous devions quitter la grande maison. C'est ainsi que nous échouâmes dans une maison *dikki* en torchis et au toit de chaume, une maison qui avait été fermée et laissée à l'abandon après la mort de son propriétaire. La grande maison ne me manqua pas, sauf les toasts. L'Anglais frotta son corps avec de l'argile et s'enroula dans une des couvertures rouges de mon peuple, sans pour autant renoncer à chercher la blancheur que je lui avais volée. Je vécus toutes ces années à son côté comme une punition méritée : je m'étais laissé distraire par l'Anglais, par sa grande maison et par tous les objets qu'elle recelait. À force de contempler la richesse des autres, on devient aveugle.

Puis vint le deuxième enfant, une fille comme prévu, à laquelle je donnai naissance sur le sol en torchis d'une maison dédiée aux morts. Inutile de lire dans le sang de cette enfant pour connaître son destin ; je connaissais même la forme et le poids de chacune des pierres qu'on lui lancerait plus tard. Je l'appelai Mahulda Jane Braxton car, à mes oreilles, ce nom sonnait comme celui d'une domestique. Aucune parole ne vint m'inspirer son poème de naissance et je jetai son cordon ombilical dans le bush pour qu'il soit dévoré par les rats.

Un instant.

Pardonne-moi. Ce sont les détails qui me troublent.

Mahulda grandit vite, dépassant bientôt celui qui, secrètement, était son frère. Elle marchait devant Alexander afin de repousser les bourrasques incessantes. Je repris mes divinations par le sang jusqu'aux dix-sept ans d'Alexander. Ce jour-là, je lissai les boucles rousses de mon fils et, sur le sol de la maison en torchis qui appartenait aux morts, nous abandonnâmes mon Anglais. Ainsi s'achève son rôle dans cette histoire. J'avoue que je m'étais habituée à son contact, l'unique homme à m'avoir touchée. Même ici, dans cet endroit sans âme, mon esprit le désire encore.

Écoute, je vais te raconter comment une maison s'est dressée et a quitté le pays où elle avait été construite.

Avec l'argent gagné grâce aux divinations, j'achetai la maison sur Anne Street au nom de mon fils et nous chassâmes les barmaids. Là, Mahulda, moi et le Corps-qui-avait-jadis-appartenu-à-la-troisième-femme-de-mon-père, nous nous mîmes au service d'Alexander. Un titre de propriété est une chose merveilleuse, et de retour à la maison d'Anne Street j'y sentis une fébrilité qui mit mon corps en branle. Je courus à travers les pièces, passai mes doigts sur les lattes du plancher usé, arrachai la lavande séchée accrochée aux murs. Alexander marchait contre le vent sur la véranda, le visage tordu dans un rictus de mécontentement, tandis que Mahulda se réjouissait de la présence des canaris qui voletaient dans ses cheveux et autour de ses épaules. Le Corps-qui-avait-jadis-appartenu-à-la-troisième-femme-de-mon-père s'agenouilla immédiatement pour frotter les sols.

J'insistai pour qu'Alexander soit baptisé dans une église anglicane et entre dans l'adolescence sans être circoncis. Sa sœur continua de surveiller le moindre de ses mouvements. Elle brossait et lissait ses cheveux roux, lui coupait les ongles des pieds et des mains, et il marchait sur ses talons quand elle portait ses livres sur le chemin de l'université ou qu'elle le protégeait des vents violents du Cap. Bien qu'elle m'en ait supplié, je lui interdis d'apprendre à lire et à compter.

— Ce sera plus facile pour toi ainsi, lui dis-je.

Mais le jardinier xhosa autorisait parfois Mahulda à regarder par la fenêtre alors qu'elle attendait Alexander après les cours à l'université, et elle se fit ainsi une éducation, contre ma volonté.

La vie suivit son cours dans la maison d'Anne Street et les années s'envolèrent avec les pélicans. Je plaçai une chaise dans le grenier où je déposai de la viande et de la bière pour Ngamathamb. Les ancêtres se fichent d'être aimés par les vivants ; en revanche, ils ne veulent pas être oubliés.

Un jour, Mahulda trouva un pélican affamé qui s'était déchiré le bec sur un hameçon. Quel que soit le nombre de poissons qu'il attrapait, ils lui échappaient tous avant d'atteindre son gosier. Mahulda lui recousit le bec et lui donna à manger de la bouillie de poisson du matin au soir, mais, hanté par une faim insatiable, il n'était jamais repu. À l'exemple d'Alexander, l'oiseau la suivait partout, ouvrant le bec comme s'il voulait dévorer le ciel ; sans cesse, ils l'attendaient sur la véranda – l'oiseau avec sa faim, le frère avec ses bourrasques. Mahulda en vint à ne sortir de la maison que le jour du marché, et elle prit l'habitude de le faire avec une pelle afin de les repousser.

Je pourrais agiter les bras et prendre ma voix de conteuse pour te raconter la suite mais j'ai presque essoré cette histoire et je n'en peux plus.

Mahulda tomba enceinte – un mystère. Elle se découvrit une fringale pour la crème mélangée au porto et elle grossit, pleine d'amour pour son bébé à naître. Mais le soleil ne se couche pas à l'est et elle mit au monde un bébé mort-né.

Alexander observa le visage inanimé, aussi pâle que celui de mon Anglais, et dès lors il prit ses distances avec sa sœur.

Mahulda était persuadée que l'enfant était mort par ma faute, ce qui, bien sûr, était vrai, et elle sombra dans le chagrin. Quand elle recouvra ses forces, elle grimpa le long de la corniche de la maison et alla mettre à mal les nids des canaris, écrasant leurs œufs. *Shhh shhh*, calme-toi un peu, mon cœur. Je lui lavai le front à l'eau de lavande pour éviter qu'elle ne devienne folle mais ses yeux se vidèrent, comme ceux du Corps-qui-avait-jadis-appartenu-à-la-troisième-femme-de-mon-père, et cette vision me flétrit le cœur au point qu'il cessa de battre, provoquant une mort dont personne ne revient. Avant qu'Alexander et Mahulda n'aient fini de creuser ma tombe dans la lavande, j'étais partie. Ainsi se terminait mon voyage.

Laisse-moi te dire comment vient la mort – on ne disparaît pas d'un seul coup. En premier, c'est le Souffle qui s'en va, parce qu'il doit faire sept fois le tour de la terre avant de partir vraiment. C'est comme la bouffée d'air qu'on ressent parfois à la base de la nuque par une journée sans vent, celle qui soulève les feuilles à tes pieds. En deuxième, c'est le Cœur. Certains pensent que l'essence d'un mort accompagne le cœur, mais c'est faux ; bien qu'il cesse de circuler, le Sang reste dans le corps. Puis, c'est au tour de Celui-qui-serre-ses-intestins-avec-la-main-droite-et-sa-vessie-avec-la-gauche, suivi des Pensées qui s'envolent comme un essaim d'abeilles. Si, à ce stade, tu reviens à la vie, ce sera à l'état de caillou. Celui-qui-s'attarde-dans-les-muscles attend avec ton cadavre afin de s'assurer qu'il sera bien traité. Parfois, Celui-qui-s'attarde-dans-les-muscles s'agite, serre le poing, s'assoit ou murmure des choses aux femmes qui préparent le corps pour l'enterrement. Ton essence spirituelle, le Sang, est la dernière à s'échapper, puis la lumière se déchire et – *hop !* – tu casses ta pipe.

Après ma mort, Alexander et Mahulda se rasèrent le crâne, enveloppèrent mon corps dans une couverture et me placèrent au fond de ma tombe. Ils avaient creusé le trou pendant trois jours, sans jamais le juger assez profond. Mahulda me recouvrit d'épines pour éviter que les animaux ne me déterrent et ne me mangent, ou que des sorcières utilisent mes restes, et le vent fouettait Alexander tandis qu'il pelletait la terre, puis la tassait en frappant le sol.

J'avais demandé à mes enfants de ne pas brûler la maison d'Anne Street, comme l'aurait exigé la coutume. Ils vendirent les perroquets, enfumèrent les lieux afin de faire fuir les canaris, puis embauchèrent des charpentiers pour démonter la maison avant de la transporter dans plusieurs camions, qui tracèrent d'énormes ornières dans les plants de lavande sous lesquels j'étais enterrée. Les canaris moururent sur leurs branches lors d'une soudaine nuit de gel au mois d'août, et les manchots du Cap s'enfuirent pour ne jamais revenir. Même les pélicans évitèrent de voler au-dessus de ma tombe. Si tu veux bien te porter dans la mort, porte-toi bien dans la vie.

Nous, les esprits des ancêtres, ne conversons qu'avec les vivants, et nous n'avons donc pas besoin d'une langue à nous. Mais si c'était le cas, je te dirais que *Mahulda* signifie « secret bien gardé » dans le langage des morts.

L'année de leur Seigneur 1926, Mahulda et Alexander déménagèrent notre maison tout au nord, dans une vallée perdue des montagnes orientales de Rhodésie, où personne ne connaissait son histoire. Dans ce pays en retrait, avec des singes hurleurs pour seuls voisins, mon fils espérait trouver un peu de répit, loin des vents du Cap qui s'étaient acharnés contre lui.

Maintenant, je vais te parler d'une chose qui m'était apparue dans le sang de naissance d'Alexander. Je vis mon fils, puis son propre fils déposer de la bière et de la viande dans le réduit du grenier où réside mon essence, dans cette maison familière au milieu de montagnes étrangères, une offrande pour honorer les Os, l'Envol, l'Errante-démunie, le Secret-bien-gardé, une lignée intacte qui s'étend jusqu'à toi. Et peut-être que c'est tragique, après tout.

Attends ! Je vais peut-être trouver une nouvelle fin à cette vieille histoire. Peut-être que Dieu m'enverra les mots d'un poème en l'honneur de Mahulda.

Aïe, seulement le silence, la faim, le froid du grenier et, bientôt, les chants matinaux des oiseaux.

Ropa Rimwe

L'attente, 1965

Umtali Post, *lundi, 12 octobre 1966*

Terroriste tué

Un officier des forces de l'ordre de Rhodésie du Sud a été blessé dimanche soir par un Shona qui résistait lors de sa capture. Alertés sur ses activités terroristes, les policiers ont dû abattre l'homme, connu sous le seul nom de Timothy. Il était venu semer le trouble dans une résidence isolée de montagne où il avait travaillé auparavant comme jardinier. Aucune autre arrestation n'a eu lieu.

L'année où j'appris à lire dans le sang, les pluies oublièrent de traverser les montagnes et la sécheresse s'abattit sur la vallée.

Les flamboyants de notre jardin pâlirent, les panicules bleu vif des jacarandas se fanèrent, virant au jaunâtre, et tombèrent. Timothy, le jardinier, observa les brins couleur paille qui saupoudraient l'herbe, aussi rase que les poils blancs de ses joues, et il prit conscience de ce que chaque homme doit un jour affronter : l'œuvre de toute une vie se résume à rien.

Nous étions en 1965, époque de prospérité et d'élan pour tous les hommes blancs de notre nation, et Mr Gordon consacrait l'essentiel de son temps à son magasin de meubles d'Umtali. Mrs Gordon s'était depuis longtemps retranchée dans sa chambre sombre. On m'avait laissé sous la responsabilité de notre jardinier, Timothy, et de notre domestique, Mahulda Jane Braxton, une femme de couleur du Cap qui me surveillait comme si j'étais le fils qu'elle aurait perdu. Les Shonas ont un terme pour ce type d'arrangement, *kurera,* ce qui veut dire élever un enfant en échange d'un salaire.

Mahulda n'était plus toute jeune. Un jour, le docteur N'gono avait posé un stéthoscope sur sa poitrine et découvert qu'elle avait un trou dans le cœur. Pour autant, personne ne pensa jamais à embaucher une autre domestique pour s'occuper de la maison et de l'enfant.

Chaque jeudi, le docteur N'gono rendait visite à Mahulda dans sa cuisine pour discuter des méfaits d'une alimentation à base de maïs sur la vue des Shonas, pour râler à propos d'un article dans l'*Umtali Post* relatant une escarmouche rebelle à la frontière de la Rhodésie, ou pour l'inviter au bal dans l'un des clubs d'Umtali. La plupart des Shonas ne faisaient pas confiance au docteur N'gono ni à ses immondes rituels chirurgicaux, et préféraient se rendre sur la réserve où vivait un vieux *nganga* qui administrait des panacées à base d'herbes. Pendant les visites du docteur N'gono, Timothy se postait dehors, juste derrière la porte de la cuisine, et coupait du petit bois en brandissant haut sa hache. Ce dernier ne comprenait pas qu'on puisse danser en dehors d'une cérémonie.

Le docteur N'gono ne pouvait deviner la détresse que ses visites causaient à Mahulda. Elle considérait la mort de son bébé comme un châtiment divin en punition d'une offense passée et avait choisi d'éviter toute relation avec un homme. Quant à la nature de cette offense, elle faisait l'objet de spéculations de la part des vieilles femmes de la réserve qui descendaient chaque jour de la montagne afin d'aller puiser l'eau à la rivière.

Le matin, quand il ne faisait pas trop chaud, j'aidais Mahulda à préparer un pot de café caracoli pour lui remonter le moral, en dépit des mises en garde du docteur N'gono qui estimait que le breuvage fatiguait le cœur. Ma mission consistait à me tenir debout sur une chaise et à tourner le moulin à café pendant qu'elle versait les grains. À l'aide d'un petit mortier et d'un pilon, elle écrasait ensuite des graines de coriandre du jardin de Timothy et les ajoutait au caracoli, pour en adoucir l'acidité et faciliter la digestion. Une fois le café bouilli, elle se tenait devant la fenêtre de la cuisine, une tasse et une soucoupe à la main, plongeant son regard au fond du liquide noir, ignorant son reflet qui ondulait à la surface. Si je grimpais sur ma chaise, juste sous le moulin, je pouvais voir, par-dessus les épaules de Mahulda et à travers la vitre, Timothy qui la contemplait depuis son jardin moribond.

Un matin, alors que je broyais du café, j'entendis un pépiement en provenance de Mahulda. Elle déboutonna le col de son chemisier et se pencha en avant pour me montrer deux poussins canaris que Timothy lui avait apportés.

— Il dit que les canaris le dérangent. Que si je ne les avais pas pris, il les aurait écrasés avec une pierre, vu qu'ils ne sont pas assez grands pour se débrouiller seuls.

Elle sourit aux poussins nichés dans la chaleur de sa poitrine et elle reboutonna son chemisier.

Un chérubin surmontait la fontaine mais, après le deuxième mois de sécheresse, l'eau s'écoulait trop faiblement de son pénis. Timothy dut couper le jet d'eau. Le chérubin fixait désormais la coupelle sèche d'où, auparavant, l'eau débordait ; son épiderme de pierre, envahi d'algues vertes, se fissura et jaunit comme la peau d'un vieillard. Timothy dut aussi tailler les branches du chèvrefeuille de la fontaine pour nourrir Neville, ma chèvre domestique, tandis que je m'amusais à creuser la terre avec ma binette en plastique, soulevant des nuages de poussière, au lieu du *vlei* riche et noir des temps fertiles.

— Ici, nous planterons des roses Lady Banks pour les cheveux de Mahulda, déclarai-je. Elle en faisait pousser au Cap.

Timothy redressa la tête et ses yeux étincelèrent quelques secondes.

— On pourrait les planter le long du mur est de la maison, où elles profiteront de l'ombre l'après-midi.

Il embrassa un instant le jardin en piteux état et ses épaules s'affaissèrent.

— *Shi shi*. On est en plein rêve, petit homme, dit-il en regardant ses pieds.

Timothy se tenait voûté et ne levait les yeux que pour examiner les nuages qui s'accumulaient dans un coin du ciel mais qui refusaient de crever au-dessus de son jardin, ou bien pour s'entretenir avec Sojini, son esprit ancestral, un grand-oncle apparemment juché sur son épaule, qui le conseillait et le protégeait. Cette façon de voir le monde dut isoler Timothy. La seule circonstance où il regardait devant lui, c'était pour observer, par-dessus son taille-haie, Mahulda qui buvait son café caracoli dans la cuisine.

Chaque dimanche, Timothy se rendait en bus dans une épicerie d'Umtali afin d'acheter les minuscules grains de caracoli, ce qui lui coûtait beaucoup, dans tous les sens du terme. Il disait à Mahulda qu'une admiratrice secrète les lui donnait, bien qu'il ne puisse les consommer à cause de son cœur. C'est lui qui suggéra à Mahulda d'ajouter la coriandre afin de faciliter la digestion. « La coriandre facilite aussi l'amour », me confia-t-il.

Depuis sa chambre sombre, Mrs Gordon réussissait, par sa seule présence, à gâcher la moindre sensation de bien-être dans le bungalow, et la cuisine de Mahulda était l'unique endroit où les rayons du soleil avaient le droit de pénétrer et où les mots étaient prononcés d'une voix normale. Je passai tous les moments de mon enfance dans la cuisine de Mahulda et dans le jardin de Timothy, hormis les rares fois où ma mère daignait me recevoir dans son antre, et celles où j'accompagnais mon père au magasin pour le voir aboyer et frapper ses employés shonas – quand bien même de telles pratiques étaient désormais interdites aux Blancs. Un jour, il fit fuir un garçon métis venu chercher du travail. « Putain de mulâtre », dit-il en me regardant de travers.

Le troisième mois de la sécheresse, Timothy se procura une jarre d'urine de jument enceinte auprès d'Adam, un garçon d'écurie shona qui travaillait comme sacristain à l'école missionnaire voisine. Timothy fit bouillir l'urine dans une casserole sur la gazinière de Mahulda, en dépit des vigoureuses protestations de cette dernière. Il ajouta une tasse de mélasse, une tasse de savon de vaisselle et le contenu d'une bière, mélangeant le tout à l'urine avec une cuillère en bois. « Ne pas oublier le philtre du jardinier », dit-il ensuite. Il enfonça alors la pointe d'une aiguille dans son index. Puis il détourna la tête tandis que son sang gouttait dans le poêlon. « Un homme ne regarde jamais à l'intérieur d'une marmite s'il ne veut pas que ses yeux s'enfoncent dans son crâne ni que son visage ne prenne la forme de celui d'un babouin. »

Un nuage de vapeur s'échappa de la casserole, la cuisine s'emplit d'une odeur de musc animal et de sécrétions prénatales. Le jardinier bossu versa le contenu de la casserole sur les racines des flamboyants, ses arbres préférés, et les irrigua ensuite abondamment avec de l'eau puisée à la rivière. Le niveau d'eau du puits était passé sous le seuil critique et Mr Gordon interdisait qu'on l'utilise pour le jardin.

Le lendemain matin, je contemplai, stupéfait, les arbres ressuscités. Les boutons écarlates avaient éclos et paraissaient plus lumineux encore au milieu de cette désolation. À mes yeux, c'était de la grande sorcellerie, au même titre que le processus de zombification dont regorgeaient mes *comics*, ou bien que la foudre, ou le pop-corn. « Il n'y a pas de magie dans ce monde, petit homme, me dit Timothy en secouant la tête. Seulement des choses que tu ne peux pas encore comprendre. »

Les nuages au-dessus d'Umtali gonflèrent, virant au violet – « un ciel douloureux », décréta Mahulda, et elle serra sa poitrine comme si elle aussi était douloureuse, encore débordante de lait pour son bébé mort-né. À l'aide d'une pipette, elle introduisit un mélange d'eau et de papillon écrasé dans les becs ouverts des poussins enfouis sous sa blouse.

Malgré ce ciel noir et tumescent, le jardin ne reçut pas de pluie ; les joues de Timothy se creusèrent davantage et sa peau se flétrit. Le quatrième mois de sécheresse, il disparut au fond du jardin. Depuis le carré d'herbe de ma chèvre, je jetai un coup d'œil vers l'unique fenêtre de l'appentis où il vivait, et l'épiai, torse nu, le dos parcouru d'un lacis de cicatrices récentes. Il aiguisa le couteau dont il se servait pour égorger les chèvres, passa son bras au-dessus de sa tête et enfonça violemment la lame dans la bosse de son dos, libérant un flot de sang et de liquide séreux. Il retroussa ses lèvres sur des gencives et des dents brillantes de salive. Je dus pousser un cri car il se tourna brusquement vers la fenêtre.

— Hé ! Petit homme, dit-il, visiblement honteux. N'aie pas peur.

Avant de me rattraper dans le jardin, il avait remis sa chemise. Le coton sombre et humide collait à sa bosse. Il fouilla mon regard, tout en cherchant une explication.

— Quand je me coupe, ce qui s'écoule prouve que j'ai l'esprit en moi, que la fontaine et moi, nous sommes pareils.

Ensuite, les mots en anglais lui manquèrent et sa voix se perdit. Il ne possédait qu'un livre et c'était le *Dictionnaire anglais-shona des Pères blancs.* Mais les Pères blancs avaient estimé qu'une section shona-anglais n'était pas nécessaire et, de ce fait, toute tentative de Timothy pour traduire son langage métaphorique était vouée à l'échec.

Quand la jument d'Adam donna naissance à un poulain, au milieu d'une flaque de liquide amniotique, son urine perdit sa concentration en œstrogènes et les flamboyants de Timothy moururent. Mahulda cessa de boire son café caracoli face au jardin aride, et l'arôme acide, que la coriandre venait tempérer, ne flotta plus jusqu'au jardinier qui s'acharnait sous une fragile canopée.

*

Timothy m'avait interdit d'aller dans le jardin la nuit. Mais nous venions à peine de sevrer Neville, et la petite chèvre paniquée bêlait si fort que, pour la première fois de ma vie, je lui désobéis et sortis afin de rassurer mon animal.

Je me rendis dans l'enclos où je découvris mon chevreau les yeux révulsés, coincé dans la gueule d'un léopard. La poitrine de Neville se soulevait encore quand la bête l'emporta. À huit ans, j'étais sans peur – moi-même héros de toutes les histoires racontées au coin du feu –, je saisis ma binette en plastique et me précipitai vers le félin, hurlant tel Mwari, le dieu-roi, chantant et brandissant mon outil de jardinage comme une hache de guerre, interpellant le léopard, *Mbada ! Mbada !*, jusqu'à ce qu'il relâche Neville et se tourne vers moi.

Le fauve se préparait au combat : il remua la queue, grogna, baissa la tête, écarta les pattes avant, remonta l'arrière-train. Les yeux du léopard grossissent juste avant l'attaque. Quand ils en abattent un, les chasseurs défoncent leurs orbites afin de se préserver de ce regard vitreux. Le choc me souleva de terre et mes poumons se vidèrent au moment où j'atterris sur le dos, écrasé par le poids de l'animal. Je perçus, sous ses griffes, l'odeur rance de ses précédentes victimes, et son haleine chargée du sang de Neville. Il enfonça sa mâchoire dans mon épaule, m'immobilisant et me labourant les cuisses.

Si je raconte cet épisode avec détachement, c'est pour donner une idée de mon état d'esprit tandis que je gisais, inerte, dans la gueule du léopard et que je respirais les effluves de charogne s'échappant de ses naseaux. Les faibles créatures perdent connaissance dès lors qu'elles sont à la merci d'un prédateur, à cause du sang, de la douleur, des chairs déchiquetées ; la nature sait se montrer miséricordieuse.

Je pris vaguement conscience de la silhouette de Timothy penchée au-dessus de nous et du contour évanescent de la hache qu'il abattit sur mon assaillant. De l'autre main, il tenait un râteau afin de protéger ses yeux – ce qu'un léopard attaque en premier. La bête blessée rugit et déguerpit, abandonnant mon corps à l'agonie.

Je parvins à redresser la tête et à la tourner en direction de Neville. À travers le sang qui recouvrait mes yeux, j'entrevis la jugulaire sectionnée du chevreau à l'instant où la vie le quittait. Les rayons de lune dessinaient un voile opaque à la surface du sang et, au-delà du reflet, je contemplai une longue procession de bêtes remontant à l'âge de fer et attendant chacune son tour de passer sur le billot. Je compris que Neville serait resté mon animal de compagnie le temps d'être assez gras pour être égorgé ; après tout, qu'il nourrisse un léopard ou notre maisonnée ne faisait pas de grande différence. La terre desséchée aspira le sang de Neville et l'image disparut, ne laissant qu'une tache insondable et un léger halo.

Mes yeux suivirent les traces laissées par le léopard blessé. Dans chaque goutte de sang, je voyais sa blessure s'aggraver – au point que bientôt le fauve ne pourrait plus chasser –, sa mort lente et son soulagement quand, enfin, les hyènes fondraient sur lui. Timothy me prit dans ses bras pour me ramener dans la maison, et l'image s'évanouit.

*

Dans la tradition shona, seule une union placée sous le signe de l'amour donne naissance à de beaux enfants. J'étais déjà assez vilain pour ne pas avoir besoin d'être déchiqueté par un léopard. Il m'avait entaillé le visage en diagonale – sourcil, nez et joue. Bien que Mahulda ait nettoyé la plaie avec un astringent à base de sanicle, quand elle changea mes pansements, l'infection se propagea à cause des résidus de charogne logés sous les griffes de mon assaillant, et l'ensemble guérit mal.

— C'est malheureux, me dit Timothy.

La bosse de son dos se souleva lorsqu'il haussa les épaules.

— Ces marques ne vont pas disparaître. Tu devras apprendre à vivre avec.

Dans les jours suivant l'attaque, je me sentis très à l'étroit dans mon corps. Les crocs du léopard avaient pénétré mon épaule et de larges sillons couraient le long de mes cuisses, là où il m'avait labouré la peau. Par miracle, mes yeux étaient indemnes. Cependant, en dépit des soins de Mahulda qui les rinça à l'acide borique, un voile rosé vint brouiller ma vue à jamais.

Afin d'apaiser mes douleurs, Mahulda faisait infuser des feuilles de framboises auxquelles elle ajoutait l'écorce râpée de cannelle – provenant d'un des arbustes morts de Timothy –, tout en nourrissant de millet ses canaris. Les poussins la regardaient avec avidité. Je bus l'infusion avec du lait mais sans sucre, dont on affirmait qu'il m'excitait.

— *Aiwa!* Je jure par mon grand-oncle mort en 1896 que c'est un miracle de te voir en vie, petit homme, disait Timothy chaque matin en me saluant.

Quand j'évoquai les images entrevues dans le sang de Neville et dans la traînée de sang du léopard, il parut s'enfoncer dans sa bosse.

— Voilà comment on s'attire des ennuis! Une telle chose serait impossible si tu n'avais pas une devineresse pour ancêtre. C'est donc un don de naissance que tu dois apprendre à apprivoiser.

Le lendemain matin, il m'apporta un piège avec un rat déchiqueté dont le sang vibrait de panique. Le surlendemain, je tombai nez à nez avec des cotons imbibés du sang menstruel d'une *fambi*, une prostituée d'un bordel que Timothy fréquentait et, grâce à ces taches, j'appris que c'était une profession toute récente pour les femmes shonas.

Timothy m'installa un lit sur la véranda afin que je puisse contempler le jardin qui dépérissait. Les galagos ne venaient plus lécher le nectar des fleurs en bouton et leur tête ne se couvrait plus de pollen jaune ; les chauves-souris avaient migré vers la rivière où les effets de la sécheresse étaient moins sévères. Des nids de tisserins abandonnés pendaient aux arbres sans vie. Seuls les altises et les gendarmes s'affairaient encore dans ce désert. N'ayant plus grand-chose à faire dans le jardin, Timothy collectait du sang à me soumettre. « Qu'est-ce que tu vois, petit homme ? » me demandait-il. Le sang d'une chèvre en chaleur, implorant, exigeant. Le sang hurlant de stupeur d'un accidenté de la route. Les plumes soyeuses d'un poussin calao ayant tenté désespérément d'échapper aux coups de bec mortels de son père. Timothy m'apporta aussi les lanières en peau de rhinocéros du fouet qui ornait les murs de son appentis. Dans le sang séché, je vis le *dakka*, la vieille haine qui bouillait dans le cœur du père de Timothy depuis que son employeur l'avait chicotté devant son propre fils. Timothy hocha la tête, perdu dans ses souvenirs, comme absent, tandis que je lui dévoilais les légendes contenues dans le fouet. À la suite de quoi il cessa de m'apporter des objets souillés.

Après l'attaque du léopard, Mahulda en vint à craindre que je meure dans le péché puisque mes parents ne m'avaient pas baptisé. Dès que je fus à peu près remis, elle me revêtit d'une blouse blanche découpée dans une étoffe achetée jadis au Cap pour son enfant – et Timothy me porta, à la lumière tombante, jusqu'à la rivière où m'attendait Adam, drapé dans son vêtement de sacristain.

Quatre personnes assistèrent à mon baptême, moi compris. Le chant grave d'un rollier faisait office de *Gloria in excelsis* et suivait nos réponses aux homélies d'Adam. Tout attroupement était susceptible d'entraîner des arrestations et un séjour dans la prison de l'agent Teasdale.

Ce dernier avait toujours traité les Shonas avec respect et, pendant les vingt-trois premières années de sa fonction, il n'avait pas porté d'arme. Mais les actes de révolte contre le gouvernement blanc mirent fin à la paix dans la vallée. Des saboteurs dérobèrent de la dynamite dans une des carrières de granit et détruisirent des lignes à haute tension. Armés de clés à mollette, des voyous pénétrèrent dans une scierie et agressèrent le vigile avant de verser un mélange d'huile et de sable dans les machines. Un incendiaire mit le feu à une cabane du couvent. Des agitateurs firent irruption au marché de la réserve.

Des policiers armés accompagnaient désormais l'agent – une dizaine de Boers rougeauds prêtés par le gouvernement d'Afrique du Sud. Toujours rangé dans son étui, le pistolet battait les fesses de l'agent Teasdale, tandis que ce dernier courait après les Sud-Africains passant le district au peigne fin à la recherche d'activités suspectes, et qu'il tentait en vain de comprendre leur afrikaans guttural.

— Désires-tu le baptême ? murmura Adam.

Adam était la seule personne de la mission à qui Mahulda pouvait demander de célébrer un baptême en l'absence de famille directe et, avec pour parrain et marraine, une femme de couleur du Cap et un jardinier shona. Si on nous avait surpris, Adam aurait été déchu de son titre de sacristain.

— Oui, répondis-je.

Des nèpes sautillaient à la surface de l'eau.

— Veilleras-tu à ce que l'enfant que tu représentes soit élevé dans la religion et mène une vie chrétienne ? demanda-t-il à Timothy.

Celui-ci me serra dans ses bras. L'eau lui arrivait à la taille. Tant de gens croyaient aux dieux chrétiens alors que ceux-ci n'étaient que trois ! Timothy jugeait la Trinité trop débordée pour être vraiment utile. Pour autant, Mahulda Jane Braxton lui avait demandé de jouer le rôle de parrain et il ne sous-estimait pas l'importance de la cérémonie.

— Oui, répondit-il en jetant un œil à Sojini, installé sur son épaule. Avec l'aide de Dieu.

Les rayons du soleil couchant filtraient à travers les branches, dessinant en ombre des motifs sur nos visages. Le courant de ma vie m'éloignerait assez vite de la foi anglicane, et cette cathédrale-forêt serait la seule où je pénétrerais. Adam fit une croix sur mon front mutilé et murmura :

— Je te baptise, au nom du Père, du Fils et du Saint-Esprit.

— Amen.

Mahulda croisa le regard de Timothy. S'ils s'étaient rencontrés plus tôt, sans doute auraient-ils pu me donner naissance. Avec de tels parents, me dis-je, je n'aurais pas été aussi laid. Le chant triste du rollier descendait des arbres.

Quand Timothy m'immergea dans la rivière, le courant délia les points de suture de ma jambe, rouvrant les plaies, si bien que mon sang se mélangea à l'eau et que j'en vins à me croire la source de la rivière. Je repensai à Timothy s'entaillant le dos avec un couteau de boucher afin de libérer son essence.

Un nuage cramoisi teinta ma tenue blanche au niveau des jambes et, dans le sang, je vis les mensonges et les secrets de deux générations ; puis mon arrière-grand-mère xhosa qui lançait des os sur sa table de cuisine pour prédire un avenir qui avait déjà eu lieu. C'était donc ça, l'origine de la gêne de mon père face à sa présence et à la mienne dans le monde. Ainsi se dévoilait mon héritage.

Le doux courant de la rivière me souleva légèrement ; je baignais dans une réalité qui, quelques secondes auparavant, m'avait paru solide. Au-dessus de nos têtes, le grondement du tonnerre retentit dans un ciel gorgé d'eau qui refusait obstinément de libérer sa pluie. Adam ouvrit des yeux effarés quand mon sang l'atteignit. Il recula jusqu'à la rive, disparut dans la forêt, ainsi se conclut mon entrée dans la chrétienté.

*

Le cinquième mois de sécheresse, Mr Gordon émergea de son bureau pour inspecter le domaine – ce genre de visite était déjà rare quand le jardin débordait de vie –, il tira sur un pétale de rose qui s'effrita entre ses doigts.

— Jésus, dit-il en examinant sa main qu'une épine avait égratignée.

De mon lit installé sur la véranda, je pouvais voir la goutte de sang sur son doigt et, dans ce point vermillon, le soulagement de mon père face au jardin mourant. Puis Mr Gordon posa ses lèvres fines sur son doigt blessé et avala son essence, avant d'examiner les racines racornies qui s'agrippaient à la terre dans une lente agonie. Quand bien même, l'endroit restait beau. Mais Mr Gordon était un homme d'affaires avant tout et il ne voyait aucune raison d'employer un homme pour s'occuper d'un jardin qui n'en était plus un ; il renvoya Timothy sans préavis. Il retira son doigt de sa bouche le temps d'exprimer ses regrets. « Peux pas faire autrement, désolé. » Une tache de sang mêlé de salive persistait sur son doigt, mais je n'y lus aucune tristesse.

— Oui, *baas*, murmura Timothy, courbé.

Comme son père avant lui, Timothy avait une relation presque féodale avec son employeur. En échange de divers travaux sur le domaine, le Shona bossu avait droit à un appentis où dormir, à un kraal où mettre ses chèvres et à un petit carré de terrain où semer des graines de *rukweza* pour faire de la bière. Notre bungalow avait été édifié sur la terre ancestrale de Timothy après que son grand-père l'eut perdue, à la suite d'un habile tour de passe-passe manigancé par les avocats de Sa Majesté. Timothy n'avait nulle part où aller et, comme son appentis était à l'écart du terrain, il s'y retira après son renvoi. Selon lui, seul un *nggarara* était en droit de lui refuser la jouissance d'une terre à l'abandon.

Chaque matin, le jardinier revenait de la rivière avec, en équilibre sur sa bosse, un bâton où pendaient des jarres à chaque extrémité. Il prenait garde à ne pas renverser l'eau qui maintiendrait ses plants de *rukweza* en vie. Normalement, cette tâche aurait dû incomber à sa femme, mais Timothy ne l'avait pas revue depuis qu'il était parti pour la guerre vingt ans auparavant.

Le millet est une céréale exigeante qui nécessite plusieurs ouvriers pour séparer la graine de l'écorce. Timothy recruta sa propre main-d'œuvre rétribuée en eau-de-vie distillée à partir de nèfles trop mûres. Une douzaine de Shonas s'empressèrent dans son petit appentis, égrenant, chantant et buvant. Alors que la lune se hissait au-dessus des branches désolées des flamboyants, que les paniers se remplissaient de millet et que le niveau des eaux-de-vie baissait, les Shonas, d'habitude si puritains, le visage désormais écarlate, lançaient des blagues obscènes sur les organes génitaux des voisins, et leurs rires ressemblaient aux rugissements d'une bête sauvage. Mahulda n'appréciait ni l'eau-de-vie ni leur conversation, mais elle continua de les aider sans relâche. Excepté en cette occasion, je n'entendis que rarement des Shonas jurer, et jamais en présence de femmes. Même Adam, le sacristain, y alla de ses grivoiseries, affirmant que le pénis de Timothy était le plus laid du village et qu'il se situait quelque part au-dessus du nombril du jardinier. Curieux, je me tournai vers Mahulda ; elle gloussait gentiment dans son coin.

Comme pour tout ce qui comptait aux yeux de Timothy, brasser de la bière exigeait une cérémonie.

— Vois-tu, les Shonas boivent du Fanta et du Coca, me dit-il, et des morceaux de leur esprit les quitte chaque fois qu'ils rotent.

Une fois le travail terminé, Timothy remplit un panier de millet *rukweza* et adressa une prière à Sojini. Dire qu'il priait est erroné mais c'est le terme qui, selon les Pères blancs, traduit au plus près la notion shona de *kupira*, bien que les Shonas s'adressent aux esprits ancestraux avec une sorte de familiarité impensable à l'église. La relation des Shonas à leurs ancêtres repose sur un échange : les ancêtres protègent les vivants et les vivants s'occupent des morts pour leur éviter l'oubli et la solitude.

Timothy versa le millet dans la cavité d'une roche, y ajouta de l'eau et laissa les céréales s'en imbiber pendant la nuit. Le lendemain matin, il étala le millet humide sur une pierre plate et le recouvrit de feuilles. Deux jours plus tard, les graines germèrent – c'est le *chimera*. Le quatrième jour, il retira les feuilles, fit sécher le *chimera* et le broya. Les deux jours suivants, il coupa du bois et attisa un feu surmonté d'une énorme marmite. Il faisait bouillir l'eau, y ajoutait le millet broyé, amenait la bière à ébullition et la filtrait ensuite dans des petits pots où il recueillait le dépôt avant de le jeter. Le septième jour, Timothy se reposa et contempla sa création qui refroidissait.

Tout en recouvrant les pots avec des assiettes pour protéger la bière en fermentation, il grommelait car, pour la cuisine comme pour le transport de l'eau, Timothy considérait que le brassage était une affaire de femmes. Pendant six jours, le temps que la bière fermente dans l'appentis, on astiqua et accorda toutes sortes de tambours, on broya le sorgho afin d'en faire du porridge et on rôtit des morceaux de Neville.

Au soleil couchant, le dernier jour de la fermentation, un déluge de percussions fendit l'air, fit trembler les photos des ancêtres écossais sur les murs de la chambre de ma mère et me jeta hors de mon lit, du bungalow, en direction des tambourinements, jusqu'à l'appentis, en bordure de l'enclos à chèvres, où les hommes tapaient dans leurs mains, où les femmes chantaient selon des harmonies et des rythmes complexes – aigus d'abord, puis en piqué, puis roulants et graves. Dire que la *bira* est une danse des pluies susciterait des images de sacrifices païens et d'ilotes prostrés devant des dieux terribles. Or cette cérémonie entraînait dans son mouvement le ciel, la terre et l'esprit.

Timothy offrit une calebasse remplie de bière à son ancêtre Sojini et déclara : « Tout est accompli. » Les libations commencèrent. La nuit vint envelopper le feu, les danseurs descendirent une quantité impressionnante de bière au *rukweza* – les plus jeunes buvaient en premier le breuvage dont la surface était couverte de mouches, de cafards et d'une mousse brunâtre.

Bien fermentée, la bière au *rukweza* est aussi forte que le brandy. Très vite, les Shonas s'ouvrirent aux *mashave*, les esprits ancestraux qui prennent possession des corps pour faire de nouveau l'expérience du monde sensoriel des vivants. Adam, le sacristain, se redressa dans un sursaut et observa les alentours avec les yeux d'un mort, une femme se mit à parler dans une langue inconnue, d'autres dansaient avec de grands gestes, semblables à des colosses qui n'auraient pas utilisé leurs muscles depuis des lustres. À la lumière du feu, les regards absents brillaient. La danse saccadée de Timothy était plus étrange encore du fait de sa bosse et de la sagaie qu'il brandissait. Peut-être que la lance avait appartenu à son grand-oncle Sojini – le bout en était émoussé et le bois vieilli. D'autres encore, pénétrés par les esprits des animaux, se pavanaient comme des oiseaux, bondissaient comme des babouins, se déplaçaient comme des léopards ou cabriolaient comme des oryx.

Je n'ai jamais su qui de mes parents demanda l'arrestation de Timothy. Peut-être que les tambours remuèrent chez Mr Gordon une chose qu'il aurait préféré ignorer, ou s'immiscèrent dans le sanctuaire obscur de Mrs Gordon, brisant l'illusion qu'elle était toujours en Écosse.

Les bandoulières de cartouches s'entrechoquèrent quand les policiers sud-africains se mirent en position. Le feu faiblissant, le brasier au ras du sol créait des jeux de lumières là où ne règne d'ordinaire que l'obscurité : les méplats sous le menton des Sud-Africains, le creux des joues et des yeux, comme sur des négatifs de photos. L'agent Teasdale suivait la troupe, haletant. « Arrêtez-vous ! » cria-t-il, et j'ignorais s'il s'adressait aux danseurs ou aux policiers. Les tambours couvraient les injonctions de l'agent Teasdale ; personne ne l'entendit, sauf moi, toujours figé à la lisière de la cérémonie. L'un des policiers sud-africains déchargea son arme vers le ciel et le brouhaha de la *bira* cessa aussitôt, pour laisser place au silence.

Sorti de sa transe, Timothy cligna des yeux face aux policiers venus le chasser de ses terres ancestrales. Les autres danseurs s'égaillèrent dans la forêt à toute vitesse. J'entendis le claquement des chargeurs alors que les Sud-Africains retiraient la sécurité de leur arme. Dans un anglais pincé, l'un d'eux ordonna : « Allonge-toi ! Mains derrière la tête. » Timothy sembla ne pas comprendre. Il tapota sa sagaie, comme pour s'assurer qu'il était bien revenu dans le monde matériel.

Le léopard m'avait enseigné la peur ; quand bien même, je me plaçai devant Timothy, créant la confusion chez les policiers quand ils m'interceptèrent dans leur viseur.

— S'il vous plaît, implora l'agent Teasdale en se postant devant les Sud-Africains et en abaissant les canons de leurs fusils.

Timothy pencha la tête vers Sojini, l'écouta puis se tourna vers moi dans un soupir. Son jardin était mort, sa *bira* gâchée.

— Attends, petit homme, me dit-il. Je vais te montrer quelque chose.

Et il me donna un grand coup dans le dos. Alors que je tombais dans la poussière, il brandit sa sagaie et déplaça tout son poids sur son talon. Sans doute est-ce son ancêtre Sojini qui guida la lance à travers les joues de l'agent Teasdale, lui sectionnant la langue, avant que l'arme n'aille se ficher dans l'épaule d'un policer sud-africain. Timothy fut projeté en arrière par la riposte qui résonna à mes oreilles comme le bruit magique du maïs qu'il faisait sauter sur le feu.

Le sang qui provient d'une extrémité, un doigt par exemple, est rouge vif et reflète la lumière alentour. Il est difficile d'y voir des images sensées. Mais le sang artériel qui provient de l'aorte, le sang de la vie pompé directement par le cœur, est un sang profond, bordeaux, opaque où l'on peut contempler des millénaires. Timothy haletait tandis que le sang giclait en rythme de sa nuque perforée. Dans le liquide sombre qui imbibait sa chemise, je le vis se mettre au garde-à-vous, sous l'uniforme kaki des carabiniers africains de la Rhodésie du Sud, le dos bien droit, avant qu'il ne soit envoyé pour un shilling par jour en Afrique du Nord, où un obus de 40 mm lancé par un char italien lui explosa le dos et le laissa hurlant de douleur dans le sable saharien d'Abyssinie. Sous cette image surgit Timothy, enfant, apprenant à regarder ses pieds tandis que la chicotte lacérait le dos de son père. Je vis Sojini, le grand-oncle de Timothy, son esprit ancestral, ruer dans la barricade des policiers britanniques pendant la révolte de 1896, simplement armé d'une lance, sans doute celle qui traversa les joues de l'agent Teasdale. Je fus témoin des *mfecane*, ces temps troublés au cours desquels les dynasties shonas tombèrent les unes après les autres face à des vagues d'envahisseurs, et je vis la lointaine famille de Timothy réduite à se briser les dents de devant pour échapper à l'intérêt des marchands d'esclaves arabes. Je vis les ruines du Grand Zimbabwe retrouver leur magnificence d'antan, et je remontai la lignée de Timothy jusqu'à un esclave zanj travaillant à séparer le cuivre des scories dans un fourneau. Et plus loin encore, je vis les découvreurs du feu et les peintres rupestres, chaque image laissant place à une autre, la mort et la naissance, la chute et l'apogée. Quand la fontaine de sang cessa de s'écouler de la carotide sectionnée, je vis clairement mes propres ancêtres, et le sentiment d'être un *mutorwa*, un étranger sur ce continent, s'évanouit.

Mahulda m'entraîna loin du corps de Timothy. Pendant que mon bain coulait, j'examinai le sang sur mes mains, aussi impénétrable qu'un diamant noir. Sur cette surface craquelée, je vis l'angoisse de Timothy à propos de son jardin mort, l'immensité de son amour pour Mahulda Jane Braxton, et sa tristesse à l'idée que je n'aurais plus de père.

*

C'est là que l'histoire de Timothy s'achève brutalement et, à défaut d'autre chose, que la mienne reprend. Mahulda n'eut pas le droit d'enterrer Timothy dans le cimetière de la mission, et nous l'ensevelîmes en secret dans son jardin, sans lumière, ni hululement ni témoin, hormis Mahulda, Adam, qui officia, et moi. Le ciel éclata enfin et le déluge réduisit la bible d'Adam en bouillie, inonda la tombe avant qu'on puisse la combler.

Sojini quitta sa place sur l'épaule de Timothy pour aller là où se rassemblent les ancêtres oubliés – où que ce soit. Je pris l'habitude de regarder par-dessus mon épaule, y guettant

Timothy, jusqu'à l'âge où je compris que ce genre de manifestations ne correspondait pas à ma réalité.

Le lendemain matin, la famille de Timothy quitta la réserve pour frapper sa tombe ; le patriarche enfonça un bâton dans le sol boueux jusqu'à la poitrine de mon parrain. Les siens viendraient le retirer après les pluies, afin que l'esprit-papillon de Timothy s'échappe pour errer, sans domicile, en attendant d'être de nouveau accueilli par le clan lors de la *bira* des récoltes.

Je mis le feu à mes vêtements tachés de sang, prenant bien garde à ne pas regarder la fumée sombre qui s'en dégageait. Le don que j'avais reçu à la naissance s'était réveillé, il coulait, paresseux et lourd, dans mes veines. Je savais qu'un jour j'y aurais recours.

Le jeudi qui suivit la cérémonie de la tombe, Mahulda Jane Braxton plongea son regard dans une tasse de café caracoli, concoctée avec les derniers grains offerts par Timothy. La tasse glissa entre ses doigts et alla se fracasser par terre tandis que le cœur de Mahulda s'arrêtait. Le docteur N'gono arriva quelques minutes plus tard. Quand il déchira le chemisier de la mourante, deux canaris s'échappèrent d'entre ses seins, avant de faire le tour de la cuisine et de filer par la porte ouverte sous la pluie. Le docteur N'gono s'écarta du corps inerte, se signa et cessa de tenter de ranimer Mahulda ; à huit ans, j'étais orphelin.

J'essayai de fermer les yeux de Mahulda, en vain, ne parvenant qu'à lui donner un air rêveur et fatigué qu'elle n'avait jamais eu dans la vie. Pas une tache écarlate sur son corps que je puisse lire. Peu importait, je n'en avais pas besoin pour savoir que nous étions *ropa rimwe*, Timothy, Mahulda et moi : du même sang.

Un flamboyant jaillit à l'endroit où Timothy était enterré. Des pousses duveteuses apparurent là où la coriandre avait repris vie, des framboises sous les gouttières du bungalow, et le *rukweza* dans le champ. Des milliers de cocons vides pendaient aux nouveaux arbres ; le jardin débordait de vie, de papillons, d'esprits errants. Les canaris de Mahulda et leurs poussins nichaient sur une branche du flamboyant mort qui surplombait, pareil à une ruine ancienne, le jardin ressuscité et foisonnant. Tous les matins, je les écoutais chanter tandis que je ramassais de la coriandre sauvage et la déposais sous ma langue, laissant les graines mollir et répandre leur goût âcre dans ma bouche.

Parfois, en rêve, je me revois dans les bras de Timothy alors qu'il se tient à côté de Mahulda dans la rivière de mon baptême, je perçois nos reflets qui se brisent dans le courant, ma joue mutilée, une tresse des cheveux de ma marraine, un pan de la chemise à carreaux qui recouvre le dos massacré de mon parrain, un œil, un doigt, des éclats accrochés à la surface de l'eau aussi noire que le café caracoli dans la pénombre lugubre, et la coriandre qui imprègne chacune de mes respirations.

Demi-bête

Octobre 2011

Les douze portes de la maison gonflent et s'accrochent aux gonds. Les feuilles mortes sont balayées vers le sud. La douleur dans ma jambe empire ; c'est sûr, les pluies arrivent.

Un demi-siècle s'est écoulé depuis la mort des parrain et marraine de Gordon, et ils ne cessent de mourir sous mes yeux. C'est ainsi quand un fantôme-conteur s'empare de nous : plus de souvenirs personnels, plus d'autre voix que celle de Gordon.

Mon propre passé me parvient à travers des images qui s'évanouissent à peine ont-elles surgi. Hier soir, allongé sur le toit, j'ai rêvé que j'étais sous l'eau de la rivière et que Dieu s'infiltrait entre les herbes à hippopotame comme des rayons de soleil à travers la canopée.

Revenons aux premières années de Gordon. Elles se déploient au rythme tourbillonnant des saisons. Timothy recouvre les parterres de fleurs avec des morceaux d'écorce pour faciliter l'écoulement de l'eau, le ciel se fissure, inondant la vallée, et les léopards cessent de rôder afin de trouver refuge dans la forêt.

C'est une saison pour les histoires. Tandis que la tempête fait trembler la fenêtre et que le chat se planque dans le panier à linge, Timothy aiguise ses cisailles à la table de la cuisine en prévision du foisonnement à venir.

Gordon entend le chant de la pierre à aiguiser : *shriik shriik*.

— Écoute ! annonce Timothy. Tout commence dans l'informe où Mwari, le dieu merveilleux, transforme la rivière en une brume qui dissimule le monde des esprits au monde des vivants.

Il se met à chanter.

— Regarde-le empiler des roches en granit pour édifier une montagne.

Et les notes tombent selon un rythme impair tandis que le tonnerre ajoute de la solennité à ses paroles.

— Entends-le interpeller les lieux sacrés : arbres, rivières, kopjes.

Timothy imite tour à tour les animaux que Mwari a installés sur terre, chacun influençant l'existence des autres et, l'espace d'un instant, le monde apparaît clairement à Gordon. Il n'est plus cet enfant effrayé assis sur le sol de la cuisine près d'une fenêtre ouvrant sur un univers infini de vents, d'éclairs et de pluie fracassante. Chaque histoire se termine abruptement, Timothy observe Gordon et, tout aussi abruptement, une autre recommence.

« C'est l'histoire d'un babouin qui se prenait pour un homme... »

« Il était une fois une femme stérile qui avait adopté une pintade comme son enfant... »

« Voici comment le grand devin est mort et s'est transformé en léopard... »

Parce qu'ils vivent dans les arbres, Timothy voyait les léopards comme des médiateurs entre les deux mondes.

Mahulda raconte des histoires de son enfance au Cap, au bord d'une mer lointaine, et Gordon s'allonge à ses pieds sur le plancher qui sent les algues, la lavande et les oiseaux. Une fois, elle avait évoqué son enfant perdu et Gordon s'était imaginé mort-né dans un hôpital ; tandis que Mahulda le berçait dans ses bras, il s'abandonnait à la douceur de sa voix, à ses mains qui lui caressaient le front tendrement.

Le tonnerre s'estompe, les jeunes pousses se défroissent et des faisceaux de lumière transpercent les nuages – un « ciel divin », comme disait Mahulda. Timothy plante des graines de *rukweza* dans la boue près de son appentis tout en parlant à Gordon des demi-bêtes susurrantes qui arpentent le jardin à minuit.

Gordon part en quête de spores laissées par les créatures informes qui, tout comme lui, existent dans la marge entre ce monde et le suivant. Il cale son pied nu dans la trace de pas d'une demi-bête.

— Vous avez la même empreinte, dit Timothy en riant avant de décrocher un cocon vide abandonné sur une feuille.

L'homme s'accroupit, goûte la terre.

— Le *rukweza* a germé.

— Qui t'a appris à être jardinier ? demande le garçon.

— Je suis né avec ce don.

Puis vient un jour où un groupe de Shonas errants traverse la vallée, semant des graines de ronces sur les terres des Anglais, là où poussaient des céréales et de l'herbe à bétail. Ces hommes appartiennent à un clan clairsemé, transféré sur la réserve après que leurs terres ancestrales leur ont été confisquées. Ils tabassent Timothy qui tente de les arrêter.

— Pourquoi ces hommes veulent-ils détruire ton jardin ? demande Gordon à Timothy quand celui-ci entre dans la cuisine, en sang.

Le jardinier grimace alors que Mahulda redresse son nez cassé – le cartilage endommagé crisse comme du verre pilé.

— Ces hommes n'ont pas besoin d'une raison pour agir, répond-il d'une voix nasillarde.

Pendant les semaines qui suivent, Timothy tente de déraciner les jeunes ronces plantées par les Shonas de la réserve, mais leurs racines s'insinuent sous les parterres de fleurs, étouffant le cosmos.

Des produits frais font leur apparition sur les étals du marché de la réserve. Mahulda tend un panier tressé au garçon et l'emmène à travers la montagne. Mais ils sont refoulés à l'entrée.

— Pas un endroit pour un enfant blanc, dit l'agent Teasdale à Mahulda.

Un vendeur les observe au-dessus des piles de concombres, melons et tomates alignées par couleur sur ses tréteaux. Mahulda prend la main de Gordon dans la sienne. Ils ont tous les deux vivement conscience de leur différence et ils redescendent la montagne en silence avec leurs paniers vides.

Les papillons cessent de fouiller les sols, les abeilles construisent avec frénésie de nouvelles ruches, signes que Timothy doit récolter le *rukweza* et faire fermenter la bière. Les vents tournent, chassant la brume qui envahit la montagne, les chenilles s'enveloppent de soie et les branches s'affaissent sous le poids des fruits.

Gordon est né pendant la pause : une période froide, aride.

On dit que ces enfants viennent au monde avec réticence – et ce n'est pas sans raison.

Vers la fin de la saison, une devineresse aveugle arpente la vallée, guidée par son fils. Avant d'être refoulés dans la réserve, les Shonas la payaient pour prédire l'arrivée des pluies et le destin de leurs enfants. Timothy place Gordon devant ses yeux voilés.

— Voyons voir ce que Dieu a tissé dans son avenir, annonce la diseuse de bonne aventure.

Elle rassemble les os dans sa belle main et les lance sur un plateau.

Ses doigts flottent un instant au-dessus de l'ivoire jauni.

— Qu'est-ce que c'est que ça ? dit la femme, visiblement perplexe. Cet enfant est aussi devin, mais dans un autre genre.

Elle se lève, prête à partir.

— Ça porte malheur de lire l'avenir d'un autre devin.

Timothy lui tend un dollar et la femme soupire. Ses mains trouvent le visage de Gordon et en tracent les contours.

— L'avenir d'un devin est toujours une énigme, dit-elle.

Gordon attrape les doigts fins de la femme avec ses dents et secoue la tête malicieusement. Timothy pince le nez de l'enfant pour lui faire lâcher prise, la femme essaie de se dégager, mais Gordon continue de mordre, refusant d'ouvrir la bouche même pour respirer.

— Ha ! lance la devineresse quand elle se libère enfin.

Elle secoue sa main comme si elle était en feu. Le garçon s'agite dans les bras du jardinier.

— Avant la fin de son histoire, cet enfant sera deux fois né et deux fois orphelin, deux fois baptisé et deux fois enterré !

Ainsi sont les devins. Il leur faut une bonne morsure pour qu'ils disent enfin la vérité.

La terre s'assèche et se rétracte sous le ciel vide, des serpents émergent entre les herbes hautes pour se chauffer au soleil, la vallée frémit, troublée par les mécanismes terrestres tandis que, dans les profondeurs, le terrible Ver poursuit son œuvre.

*

À l'autre bout de sa vie, à cinq kilomètres sous terre, dans la chaleur et l'obscurité, Gordon récite ces mots, ressassant chaque souvenir devenu l'histoire. Les pluies. Les récoltes. L'attente. Tant qu'ils seraient là, Timothy et Mahulda garderaient Gordon en sécurité dans le cocon des saisons qui défilent et, dans son esprit d'enfant, ils vivraient à jamais.

Lait de retard

Le premier jour, 1957

Je suis né tourné vers le ciel et mon nez s'est accroché au col de l'utérus de ma mère, interrompant ma progression vers un monde plus vaste, transformant ce qui promettait d'être un accouchement facile en souffrances interminables, sans la moindre aide médicale pour cette femme. Elle gémissait à chaque contraction, d'abord sur un ton grave, puis en montant dans les aigus quand la douleur s'intensifiait.

Les couvertures et les oreillers étaient souillés de sang qui dégoulinait sur le plancher. La domestique avait insisté pour que l'accouchement ait lieu dans la cuisine, arguant d'un sol lavable, d'un accès plus facile à l'eau chaude et à des draps propres.

Le mari de Mrs Gordon se tenait dans les parages ; entre deux contractions, la domestique prodiguait des conseils d'une voix douce à la parturiente, et le jardinier jetait un œil à la fenêtre de la cuisine tout en taillant ses bougainvillées. Mais, au sommet de sa douleur, Mrs Gordon eut le sentiment d'être seule en Afrique et elle scruta, sans les reconnaître, les visages qui l'entouraient.

*

Mahulda Jane Braxton, qui surveillait l'accouchement, ne dormit pas de la nuit et passa la journée suivante à frotter le sang de sa maîtresse sur les murs et le plafond de la cuisine. Elle avait immigré en Rhodésie trente et un ans auparavant pour s'occuper de la maison et de ses habitants. Mr Gordon l'avait trouvée sur place quand il avait acquis le bungalow à la suite d'un héritage. Il aimait dire que la femme et la maison étaient un seul et même lot.

Je fis mon apparition sous le toit ondulé de la maison, dans une vallée isolée à la frontière est de la Rhodésie, un endroit déconstruit où ancêtres et devins prenaient le dessus sur les lois de la physique. C'était un grand bungalow, comprenant de nombreuses portes, mais Mahulda Jane Braxton s'occupait seule des travaux ménagers, hormis l'entretien des horloges. Elle n'y pensait jamais et cette tâche fut confiée au jardinier. Elle travaillait sans se plaindre, même quand elle dut sacrifier son repos du dimanche après-midi pour cause d'accouchement. Sa seule exigence était d'être appelée par son nom entier. *C'est elle qui plongea ses mains jusqu'aux poignets entre les jambes de Mrs Gordon et me fit pivoter, me permettant de rester en vie.*

À sa surprise, Mahulda Jane Braxton eut une montée de lait spontanée dès que le bébé poussa un cri, bien qu'elle eût presque cinquante ans.

— C'est un garçon, dit-elle d'une voix distraite.

Mahulda Jane Braxton accrocha une épingle à linge à la base de mon cordon ombilical, puis, à l'aide d'une cisaille aiguisée et stérilisée deux fois, elle le sectionna, me séparant de ma mère biologique. Elle le remit au jardinier afin qu'il l'enterre sous un buisson d'épineux pour me porter chance.

— Poussez, madame, disait la domestique à sa patronne. Il faut encore expulser le placenta.

Plus tard, Mahulda Jane Braxton en ferait une soupe pour aider la jeune mère à produire du lait. La domestique avait déjà été enceinte, il y a longtemps, au Cap, mais avait perdu le bébé lors d'un accouchement qui avait détruit son utérus et l'avait rendue stérile. Elle avait demandé à tenir son bébé mort-né, l'avait bercé dans la salle d'accouchement obscure jusqu'à ce qu'elle s'endorme – et se réveille seule. Par la suite, Mahulda Jane Braxton garda dans un médaillon en forme de cœur et scellé une mèche des cheveux roux du bébé. Cet épisode l'avait traumatisée au point qu'elle ne pouvait plus distinguer un moment de sa vie d'un autre, et remonter les pendules ne lui traversait même pas l'esprit.

Le cœur de Mahulda Jane Braxton se souleva quand elle déposa le bébé sur le ventre de Mrs Gordon, et la terre trembla doucement sous ses pieds, comme par sympathie. Ces tremblements étaient courants, des résidus d'anciennes forces cataclysmiques ayant formé la vallée. Les cris de l'enfant flottaient dans l'air convulsif.

— Il se calmera quand il aura mangé, dit la domestique en dégrafant le chemisier de sa patronne. Un bébé apprend à connaître sa mère grâce à son lait.

Mrs Gordon avait lutté de toutes ses forces pour se débarrasser de l'enfant. Et à présent, on lui en demandait davantage. Elle sortit un sein mais le nourrisson pinça les lèvres et se détourna.

— Les bébés ne savent pas téter, madame. Il faut leur apprendre.

Mahulda Jane Braxton appuya gentiment sur les joues du nourrisson jusqu'à ce que ses lèvres forment une ventouse autour du téton.

Mrs Gordon caressait l'enfant sous le menton mais comme il refusait toujours de téter, elle tendit son fils à la domestique ; le jardinier entra dans la cuisine pour prendre la femme brisée dans ses bras. Elle paraissait minuscule et fragile quand il la souleva de la table ensanglantée, près de laquelle Mahulda Jane Braxton, nue jusqu'à la taille, tenait le bébé. *Si j'avais été capable d'y voir avec mes yeux voilés, j'aurais remarqué la mélancolie dans le sourire crispé de ma mère biologique au moment où, encore couvert de liquide séreux, je m'accrochais au téton de sa domestique.*

Mahulda Jane Braxton observa le bébé allaitant. Il avait les yeux en forme d'amande, qui s'affaissaient dans les coins, comme les siens, et le même nez large et plat. *Elle brisa le sceau de son médaillon, compara la mèche rousse de son bébé à mes cheveux. C'étaient les mêmes. Son lait était sucré, avec un vague goût de muscade, d'abord clair et tiède, puis chaud et épais, et je bus avec avidité.*

*

Mr Gordon possédait un magasin de meubles qui marchait bien. Il avait passé les neuf derniers mois enfermé dans son bureau, tenant ses livres de comptes et évitant sa femme enceinte. Alors que Mrs Gordon endurait les dernières contractions, il se détourna du spectacle de la naissance de son fils. Cette proximité avec les choses de la nature le mettait très mal à l'aise.

Après que le nourrisson eut refusé le lait de sa mère, Mr Gordon demanda à son jardinier d'installer sa femme dans la chambre parentale. Il tira les rideaux, éteignit la lumière et referma la porte. Ma mère ne quitterait plus cette pièce sombre jusqu'à sa mort, dix-neuf ans plus tard.

Mr Gordon se tenait penché au-dessus de sa domestique et attendait que le bébé ait fini de téter afin de l'emmener dans son bureau pour un examen poussé de sa peau et, si nécessaire, pour l'étouffer avec le coussin en cuir de son fauteuil.

Le bébé était plutôt rosé. Il avait les yeux bleu marine. Mais ça ne prouvait rien, tous les humains naissent avec les yeux bleus. Se tordant le cou, Mr Gordon tenta de voir si le bébé avait des traits négroïdes. Le nez du nourrisson, posé sur le téton de Mahulda Jane Braxton, était large et plat.

Le hoquet de surprise de Mr Gordon n'échappa pas à la domestique.

— Tous les bébés ont un nez pareil, lui dit-elle. C'est pour pouvoir respirer en tétant.

Elle devinait toujours les pensées de son maître, ce qui ne manquait pas d'énerver ce dernier. Bien qu'il considérât l'allaitement en public comme indécent, il poursuivit l'examen du bébé. Mahulda Jane Braxton lui adressa un regard plein de reproches, après avoir recouvert son sein et le bébé d'une couverture. Non qu'elle fût gênée, mais plutôt inquiète de l'attitude menaçante de Mr Gordon. Depuis trois décennies, elle voyait son neveu s'évertuer à se débarrasser de toute trace de son héritage. Un mercredi sur deux, il disparaissait en ville afin d'être débarrassé d'un épi dressé dans sa chevelure rousse. Quand bien même, à la base de sa nuque, persistait une bouclette caractéristique qu'aucun produit chimique ne pourrait jamais lisser.

Quand le bébé eut fini de téter, Mr Gordon s'avança pour s'en emparer. Mahulda Jane Braxton n'aima pas la façon dont il tendit les bras ni le reflet dans ses yeux. Par réflexe, elle serra davantage le bébé contre elle.

— Je vais le prendre, dit-il.

Mahulda Jane Braxton s'accrocha à l'enfant.

— Femme, lâche-le ! lança Mr Gordon en saisissant le nourrisson.

L'enfant ne révélait aucune trace de son ascendance africaine mais Mr Gordon estimait ses yeux semblables à ceux de sa grand-mère xhosa. Il décida que son fils mourrait comme beaucoup d'autres dans les premiers jours de sa vie. Depuis deux générations, les Gordon profitaient des avantages inhérents au fait de passer pour Blancs, cachant même leur lignée à leur épouse et, à présent, la peur supplantait le secret. Mr Gordon regarda le bébé comme il aurait regardé un marcassin en train de détruire ses plates-bandes.

— Ce sera tout, Mahulda Jane Braxton, dit-il à sa domestique qui tentait de le suivre dans son bureau.

Elle hocha la tête, méfiante. Elle n'avait pas le droit d'entrer dans le bureau, sauf quand son employeur se rendait à Umtali et qu'elle époussetait les livres sur les étagères – *Spécimens de poésie américaine, avec appareil critique*, *La Vie et les actes de vertu de saint Augustin des hippopotames*, *Historae Romanae Brevarium*, *Lectures pour le train*, *Les Premières Mines de cuivre*, *Mort d'un héros* –, volumes choisis pour leur tranche dorée, leur reliure en cuir et leur couverture gravée, bien plus que pour leur contenu. Après avoir nettoyé le bureau, elle ouvrait un livre au hasard et cessait de lire quand elle entendait des pas.

Mahulda Jane Braxton savait pourquoi son employeur avait insisté pour un accouchement à domicile. *Elle fit les cent pas dans le couloir pendant une bonne minute avant de forcer l'entrée du bureau, me sauvant une deuxième fois la vie en si peu de temps.*

Le lendemain soir, tandis que les Shonas fêtaient ma naissance dans le jardin, Mr Gordon déplaça son lit dans le bureau pour travailler tranquillement sans perturber la guérison de sa femme, un aménagement qui persisterait durant toute leur vie commune. Il ferma la fenêtre du bureau pour se couper des chants, de la chaleur du feu, de la puanteur de la chèvre braisée, et il ouvrit un livre de comptes où on pouvait lire : « Troisième trimestre, année fiscale 1957 ». Il y inscrivit au crayon les dépenses liées à la naissance de son fils : une couverture, une brassière d'allaitement, des chaussons, la layette, les langes, un mobile orné de léopards. Enfin, il barra le budget alloué à l'achat d'une douzaine de roses pour Mrs Gordon, et jamais offertes. *Ces notes constitueraient la seule preuve écrite du début de mon existence.*

*

Pendant trente ans, Mahulda Jane Braxton avait ignoré les jeunes hommes shonas qui l'attendaient au marché de la réserve tous les jeudis, quand elle venait y acheter des provisions. Elle refusait de répondre si on ne l'appelait pas par son nom entier, ce qui lui permettait de rester à distance.

Timothy, le Shona bossu qui s'occupait du jardin et remontait les horloges, la trouvait hautaine, intimidante et magnifique, il l'observait parfois quand elle semblait sonder un temps révolu, sa main posée sur le médaillon pendu à son cou. Il ne lui parlait que le vendredi, pour lui demander la permission de nettoyer ses cages dans l'évier de la buanderie.

Le jardinier arrondissait ses fins de mois en arrachant des bébés galagos à leurs mères, endormies dans les arbres. En dépit de sa bosse, Timothy pouvait grimper à un acacia en silence et avec agilité. L'appentis où il vivait débordait de cages remplies de bébés galagos en attente d'être exportés illégalement vers l'Angleterre, où ils apporteraient une touche d'exotisme aux jardins des résidences secondaires. L'animal avait de grands yeux et pleurait comme un bébé humain, ce qui faisait sa popularité. « Voilà, voilà », disait Timothy, ses yeux dans les yeux humides d'un bébé galago qui tétait un biberon de lait de chèvre en enroulant sa queue autour de son poignet. À la moitié des bébés galagos emprisonnée, le jardinier donnait du verre pilé à manger avant de l'expédier en Europe, histoire de maintenir les commandes à flot et les prix élevés.

Tout en travaillant dans le jardin, Timothy observait souvent Mahulda Jane Braxton par la fenêtre. Quelque chose avait interrompu le flot de vie chez cette femme.

— Pourquoi es-tu si dure, Mahulda Jane Braxton ? lui demanda-t-il un vendredi tout en nettoyant ses cages.

Mahulda Jane Braxton se raidit et alluma le four, sans lui adresser un regard.

— Ce n'est pas dans mes intentions, Timothy.

Le jardinier shona hocha la tête. Il n'ajouta pas un mot mais entreprit ensuite de nettoyer ses cages deux fois par semaine, jetant des coups d'œil à la belle femme du Cap qui contemplait son jardin.

Timothy avait organisé son jardin de telle façon que la poussette de l'enfant soit toujours visible et jamais loin d'un bouton de fleur tout juste éclos. Les flamboyants, les feuilles de *msasa* cuivrées et bordeaux, l'odeur puissante du chèvrefeuille, le bourdonnement des insectes agressaient les visiteurs par vagues violentes mêlant couleurs, sons et odeurs. Mr Gordon trouvait le jardin insupportable.

Au cours de la deuxième heure suivant ma naissance, le jardinier entendit des voix en provenance du bureau. Il entreprit de tailler les bougainvillées près de la fenêtre. Les paroles de Mr Gordon filtraient à travers les lattes des volets.

— C'est absurde ! Je calais simplement le coussin sous la tête du bébé.

Timothy perçut de la peur dans sa voix.

— Je sais ce que j'ai vu, déclara Mahulda Jane Braxton.

— Ne t'emporte pas, femme. Je ne te permettrai pas de m'insulter, tu entends ?

Les voix se déplacèrent à l'extérieur du bureau et Mahulda Jane Braxton apparut sur la véranda, Mr Gordon sur ses talons. Timothy rentra la tête dans sa bosse sans quitter les bougainvillées. Du coin de l'œil, il vit la femme s'asseoir dans la chaise à bascule avec le bébé.

Mahulda Jane Braxton était contente de savoir Timothy à son côté.

— Le sujet est clos, dit-elle à Mr Gordon. Le bébé a besoin de lait et de silence, maintenant. Je m'en occuperai jusqu'à ce que Mrs Gordon aille mieux, pas de souci.

La domestique déboutonna son chemisier, pleinement consciente du trouble qu'elle provoquait chez son employeur.

Mr Gordon se détourna, laissant la domestique nourrir son enfant. Un phasme grimpait à la jambe de son pantalon et il l'écrasa d'un revers de main. Le jardinier cessa de tailler les bougainvillées, fixa son patron, lequel parcourut du regard l'absurdité foisonnante de son domaine tandis qu'un scarabée lui bourdonnait dans les oreilles. Puis il se retira dans son bureau pour se replonger dans ses comptes.

Timothy se démenait dans les plates-bandes sous la fenêtre de la cuisine, pendant que Mahulda Jane Braxton se préparait une soupe avec le placenta pour faciliter sa montée de lait.

Entre eux deux, je ne fus jamais seul, et ainsi la question de savoir comment j'allais être élevé fut résolue. Le jour suivant ma naissance, Timothy tua une chèvre et les domestiques shonas des maisons avoisinantes vinrent dans le jardin boire de la bière sous une nuée d'étoiles vibrantes. Afin de m'accueillir dans le monde, ils chantèrent, mêlant une harmonie à six voix, toujours changeante, à un air tout simple.

*

Le soir de ma naissance, tandis qu'elle me berçait sur la véranda, Mahulda contempla la courbe de ma joue posée sur celle de son sein. Chaque fois que je m'endormais, elle glissait tendrement son pouce sous mon menton et me réveillait. Dans l'obscurité du jardin, une mère galago pleurait son bébé volé et enfermé dans une des cages de Timothy. Les pleurs provoquèrent un afflux de lait chez Mahulda et son sein déborda. Ses seins s'étaient formés tôt, avant même ses menstruations, pourtant ce fut à cet instant seulement, près de quarante ans plus tard, qu'elle en apprécia pleinement la fonction.

Elle entonna une comptine de son enfance sans queue ni tête : *Et que ferais-tu si la bouilloire débordait ? Que ferais-tu à part la remplir de nouveau ?* Elle entendit le tic-tac de la pendule dans l'entrée. *Oh, que ferais-tu si les vaches mangeaient les trèfles ?* Un rollier s'installa sur la branche d'un flamboyant. *Que ferais-tu à part en replanter ?* Du bout des doigts, elle suivit la trace d'une veine sur la joue du nourrisson. *Route da da doute da da diddli da dum.* Un chat se dandina sur la véranda, entourant de sa queue la cheville de Mahulda. Des mites dessinaient des motifs étranges à la lumière d'une lampe à pétrole. *Route da da doute da da diddli da dum.* Son bébé se détourna de son sein, repu, le regard absent. *Da diddli da di da di da dum.* Mahulda fit les cent pas sur la véranda. Du lait s'écoulait de ses seins, gouttant sur le plancher avec une régularité d'horloge. *Da diddli da di da di da dum.* Mahulda marchait lentement, savourant chaque instant comme si c'était le premier. Le chat lui emboîta le pas en léchant le sol.

Une vibration traversa la vallée, surprenant le rollier qui s'envola. Le bébé laissa échapper un rot laiteux. *Ces souvenirs coulaient dans mon sang en même temps que le lait. À moins que je ne raconte simplement une histoire. Je reposais dans les bras de ma mère, suspendu entre le monde matériel et le monde spirituel, et nous restâmes ainsi jusqu'à ce que le sommeil nous enveloppe.*

Remerciements

Ma profonde reconnaissance à Neil Connolly, le plus avisé des lecteurs de l'usine ; à Rikki Clark, ma table de résonance ; et à Ronnie Clark, ma muse aux cheveux roux. Un grand merci aussi à Tom Avery, Isobel Dixon, Ben George et Michael Vasquez pour leurs conseils éditoriaux et leur soutien. Sans leur aide, ce livre ne serait que l'ombre de lui-même.

Mis en pages par DV Arts Graphiques à La Rochelle,
cet ouvrage a été achevé d'imprimer
par CPI Firmin-Didot
pour le compte de S.N. Éditions Anne Carrière
39, rue des Mathurins – 75008 Paris
en août 2015

[illegible] en pages par D[illegible] Arts Graphiques à La Ro[illegible]

[illegible] ouvrage a été achevé d'imprimer

par CPI Firmin-Did[illegible]

pour le compte de S.N. Éditions Anne Carrière

[illegible], rue des [illegible]athurins – [illegible] Paris

en août 2015

Imprimé en France
Dépôt légal : août 2015 – N° d'édition : 780 – N° d'impression : 129186